UNIVERSIDAD DE SALAMANCA
RADIOTELEVISIÓN ESPAÑOLA

Viaje al Español

3

VERSIÓN INTERNACIONAL

Cuaderno de actividades

D1502429

Santillana

Viaje al Español es un curso multimedia creado y producido conjuntamente por Radiotelevisión Española (RTVE) y la Universidad de Salamanca.

Coordinador general: Dr. Víctor García de la Concha
(Universidad de Salamanca)

El **Cuaderno de Actividades 3** *es una obra colectiva*
concebida, diseñada y creada por el Departamento de Idiomas
de Editorial Santillana, S.A.

En su realización han intervenido:

Redacción: Rosa María Rialp Muriel
Mercé Pujol Vila
Laura Fernández García

Ilustración: Jorge Rodríguez y Paloma Sánchez Auffray (dibujos)
ALGAR, CONTIFOTO, M. Blanco, Vendrell, J. V. Resino, A. Rosas,
Archivo Santillana (fotografías interiores)
Inge y Arved von der Ropp (fotografía de portada)

Diseño de portada, composición y maquetación: Equipo Santillana

© 1991 de RTVE, Madrid
y Universidad de Salamanca
© 1994 de Grupo Santillana de Ediciones S.A.
Torrelaguna 60. 28043 MADRID

Impreso en España
Printing Book S.L.
Pol. Ind. Arroyomolinos. Móstoles (Madrid)
ISBN: 84-294-3632-4
Depósito Legal: M-6.984-1999

Índice

Índice

Unidad **40** ¿Recuerdas?

Repaso 1

ANTES

1. **Éstos son algunos de los lugares que has conocido con Carmen y Juan en el nivel anterior. ¿En qué ciudad española está cada uno? ¿Y en qué Comunidad Autónoma?**

1. _____

_____

2. _____

_____

3. _____

_____

4. _____

_____

5. _____

_____

6. _____

_____

2. **Elige una de las ciudades del ejercicio 1 y di lo que sabes de ella. Luego, haz un resumen de lo que Carmen y Juan hicieron allí.**

3. Repasa alguno de los contenidos del curso anterior contestando a las preguntas que vas a oír.

 4. ¿Qué cosas, o personas, puedes encontrar en una estación de tren? ¿Y en una cafetería? Escribe todas las palabras que recuerdes.

ESPUÉS

5. **Marca la respuesta correcta. Luego, comenta con tus compañeros/as si a ti también te pasa alguna de estas cosas.**

	Carmen	Juan	Charo	Jesús
1. ¿Quién llora de alegría?				
2. ¿Quién come mucho cuando es feliz?				
3. ¿Quién se pasa la vida discutiendo?				
4. ¿Quién está enamorado/a?				

6. **Escribe las preguntas sobre la Telecomedia que corresponden a las siguientes respuestas.**

1. *¿Por qué no ha subido Juan al tren?*

   Porque prefiere quedarse en Madrid y no separarse de Carmen.

2. _____

   Ahora sabe que ella también quiere a Juan.

3. _____

   Que siempre están discutiendo.

4. _____

   Croquetas, ensaladilla, un bocadillo de jamón y dos zumos.

5. _____

   Porque le hacía falta un descanso.

6. _____

   Le dice que vaya allí, que mire a Charo a los ojos, que sonría y que le diga...

7. **Vas a escuchar una serie de frases que resumen el episodio de la Telecomedia de esta unidad; en todas, menos en una, hay una palabra equivocada. Escribe cuál es e indica la palabra correcta.**

1. *avión → tren*   6. _____

2. _____   7. _____

3. _____   8. _____

4. _____   9. _____

5. _____   10. _____

Ya has visto en la Telecomedia que el amor puede ser algo muy complicado. De él se han escrito muchas cosas. Lee las siguientes citas y coméntalas con tus compañeros/as.

El mayor contrario que el amor tiene es el hambre. M. DE CERVANTES, *Don Quijote*.

Hoy la tierra y los cielos me sonríen;
Hoy llega al fondo de mi alma el sol;
Hoy la he visto... la he visto y me ha mirado.
Hoy creo en Dios.
G. A. BÉCQUER, *Rimas*.

Rey es el amor, y el dinero, Emperador. *Refrán castellano*.

Todo en amor es triste;
mas, triste y todo, es lo mejor que existe.
R. DE CAMPOAMOR, *Humoradas*.

El verdadero amor, el sólido y durable, nace del trato; lo demás es invención de los poetas, de los músicos y demás gente holgazana.
B. PÉREZ GALDÓS.

El amor es así como el fuego;
suelen ver antes el humo los
que están fuera que las llamas
los que están dentro.
J. BENAVENTE, *El hombrecito*.

Que cuando amor no es locura,
no es amor.
P. CALDERÓN DE LA BARCA,
El mayor monstruo, los celos.

Textos extraídos de C. GOICOCHEA, *Diccionario de citas*, Ed. Labor, S.A., 1970.

Ahora, escribe tú alguna reflexión sobre el amor. Luego, compárala con las de tus compañeros/as.

Unidad 41

Me gustaría quedarme aquí

1. **Escucha y escribe de qué tienen ganas estas personas.**

1. Cristina tiene ganas de _____

2. Alberto _____

   El amigo de Alberto _____

3. Gloria _____

   _____

4. Olga _____

   _____

2. **¿Qué crees que les gustaría a estas personas?**

1. *Me gustaría desayunar en el Ritz.*

1. *Me gustaría* _____

2. _____

3. _____

4. _____

3. **¿Qué pueden desear dos personas que, como Carmen y Juan, están enamoradas? Piensa en algunas cosas.**

1. Ojalá *estemos siempre juntos y no discutamos nunca.*

2. Ojalá _____

3. _____

4. _____

DESPUÉS

4. Completa los deseos expresados por Guadalupe durante la Teleco-media.

1. Tengo muchas ganas de *platicar contigo y de contarte tantas cosas.*

2. Espero que _____

3. Ojalá _____

4. Es que tenía muchas ganas de _____

5. Y también tenía muchas ganas de _____

6. Quiero _____

7. Me gustaría _____

8. No, prefiero _____

9. Bueno, no quiero que _____

10. Ojalá _____

ANTES

5. Un/a amigo/a tuyo/a va a pasar unas vacaciones en España. ¿Qué cosas le deseas?

1. Espero que *aprendas mucho español.*

2. Espero que _____

3. _____

4. _____

6. ¿Qué prefieres? Contesta con frases lo más completas posible, como en el modelo.

Prefiero que me lleven porque no me gusta conducir, sobre todo en ciudad.

1. ¿Conducir tú el coche o que te lleven?
2. ¿Recibir cartas o escribirlas?
3. ¿Invitar a los/las amigos/as a cenar o que te inviten ellos/ellas?
4. ¿Hacer favores o que te los hagan?
5. ¿Contar tu vida a los/las demás o que la gente te cuente la suya?

7. Di lo que opinas de la frase siguiente y coméntalo con tus compa-ñeros/as.

Querer es poder.

DESPUÉS

8. ¿Quién se lo dice a quién?

1. "Espero que tú me lo digas."

   María se lo dice a Óscar.

2. "A mí también me gustaría saberlo."

   _____

3. "Quiero hablar contigo."

   _____

4. "Tu madre quiere hablar contigo."

   _____

5. "Quiero hablar con Carmen."

   _____

6. "Prefiero que se lo digas tú."

   _____

7. "¡Corre a su casa y habla con ella!"

   _____

9. Imagina situaciones distintas a las de la Telecomedia para estas exclamaciones.

¡Que seáis felices!: los/las amigos/as a una pareja de recién casados.

¡Que seáis felices!   ¡Ojalá te caiga un geranio en la cabeza!   ¡Buen viaje!
¡Es urgente!   ¡Déjame en paz!   ¡Olvídame!   ¡Venga!

USA TUS NOTAS

La Telecomedia no ha terminado muy bien. ¿Qué crees que están deseando Carmen y Juan en este momento? Escríbelo.

Carmen

1. Tengo ganas de _____

2. Espero que _____

3. Quiero _____

Juan

1. Me gustaría _____

2. Ojalá _____

3. No quiero que _____

Lecturas para el viaje

Lee el siguiente cuento y di cuáles son los tres deseos a los que se refiere el título. Luego, imagina que tú también puedes pedir tres deseos. ¿Qué te gustaría? Piénsalo bien.

LOS TRES DESEOS (cuento popular)

Era una tarde de invierno. Sentados al amor de la lumbre, un campesino y su mujer se lamentaban de su pobreza:

–¡Ay! –decía la esposa–. ¡Qué felices seríamos si pudiéramos conseguir algo de lo mucho que deseamos!

Apenas había acabado de hablar cuando un resplandor iluminó la habitación y los dos campesinos vieron frente a ellos a un hada muy hermosa, que les habló así:

–He oído vuestras quejas y quiero ayudaros. Os concederé tres deseos. Pero pensadlo bien, ya que sólo os daré las tres primeras cosas que pidáis.

Una vez dicho esto, el hada desapareció y los dos campesinos se miraron asombrados.

–¿Será verdad lo que hemos visto? –murmuró la mujer–. ¿No lo habremos soñado?

–Es verdad –respondió el marido–. Mientras el hada hablaba, he estado pellizcándome una oreja para asegurarme de que estaba bien despierto. Tenemos que pensar muy bien lo que vamos a pedir y no precipitarnos. Yo creo que lo mejor sería pedir salud, alegría y larga vida...

–¡Estás loco! –interrumpió su esposa–. ¿De qué nos serviría todo eso si no tenemos dinero? Yo preferiría tener fortuna y belleza, y ser una gran señora.

–Ya veremos –respondió el hombre mientras atizaba la lumbre.

Y los dos quedaron pensativos mirando el fuego. De pronto, la mujer exclamó:

–¡Ay! ¡Cómo quisiera tener una hermosa morcilla para cenar!

Apenas hubo dicho estas palabras, una enorme morcilla cayó por la chimenea.

–¡Maldita mujer! –gritó el marido–. ¿Has visto lo que has hecho? ¡Has desperdiciado uno de los tres deseos! ¡Ojalá que esa morcilla se te pegue en la nariz y no puedas quitártela nunca!

Inmediatamente, la morcilla saltó hasta la nariz de la mujer y quedó allí pegada.

La desesperación del matrimonio no tuvo límites. Ella lloraba desconsolada y él procuraba calmarla. Aún les quedaba un tercer deseo y tenían la oportunidad de hacerse ricos. Pero ¿de qué les valdría el dinero si la mujer tenía que pasar el resto de su vida con aquella horrible morcilla pegada a la nariz?

Finalmente, el marido pidió que la morcilla se separara de la cara de su esposa.

Y, en efecto, así sucedió.

Ya calmados, los dos campesinos reconocieron que el hada les había dado una lección.

Llevados por la ambición, lo habían perdido todo y, además, se habían peleado. ¡Qué desastre!

–Al menos –dijo la mujer riendo–, nos comeremos la morcilla los dos juntitos, junto a la lumbre. Algo habremos sacado de todo esto. No creo que la fortuna nos hubiera hecho más felices.

Lenguaje 4, Ed. Santillana, 1988.

1. *Me gustaría hacer un viaje alrededor del mundo.*

2. _____

3. _____

4. _____

Enfadada, pero enamorada

1. **Fijándote bien en el uso de ''ser'' y ''estar'', relaciona cada uno de los adjetivos de las frases siguientes con su correspondiente sinónimo. Utiliza el diccionario si lo necesitas.**

1. Está bueno/a.	inteligente
2. Es bueno/a.	contento/a
3. Está alegre.	bondadoso/a
4. Es alegre.	preparado/a
5. Está listo/a.	rico/a
6. Es listo/a.	enfermo/a
7. Está malo/a.	optimista
8. Es malo/a.	malvado/a

 2. **Elige a una de las personas de la foto y descríbela lo más detalladamente posible: di cómo es, cómo está, lo que lleva, etc. Tus compañeros/as adivinarán quién es.**

3. ¿Quién o qué?

1. Siempre estaba averiado: *el coche.*

2. Está muy nervioso: _____

3. Está muy alta: _____

4. Está triste: _____

5. No está celoso: _____

6. Está fea: _____

7. Está cojo: _____

8. No está solo: _____

4. Juan le ha escrito a Carmen una nota explicándole la situación. Imagina que eres Guadalupe y que también decides escribir una nota a Carmen. ¿Qué le dices?

_____

_____

_____

_____

5. Escucha y di cómo están estas personas.

| SUSANA | JAVIER | ALMUDENA | JUAN |

6. Completa con la forma adecuada de "ser" o "estar".

1. ¡Ojalá _____ *(yo)* rico/a!

2. ¡Qué mala _____ Elena! Le ha dicho al jefe que ayer me fui un hora antes.

3. ¡_____ cansadísimo/a! He corrido diez kilómetros.

4. ¿Puedo tomar un poco más de pollo? _____ muy rico.

5. Trabajar todo el día en la oficina y luego ir a clase _____ muy cansado.

6. Este pescado no huele muy bien: me parece que _____ malo.

ESPUÉS

7. **Completa las siguientes frases de la Telecomedia con los adjetivos que faltan.**

1. La comida está _____ ya.

2. ¡Qué _____ es todo!

3. Aquí vivía yo cuando era _____.

4. Pues la casa es aún más _____.

5. Pueden llegar un hombre y una mujer en un coche _____.

6. La chica es _____ y él está... un poco _____.

7. ¡Es _____! ¿No te parece _____, Carmen?

8. Una cosa muy_____.

9. Somos _____ de don Óscar.

10. Gracias, muy _____.

8. **Aquí tienes algunos de los adjetivos que han aparecido en la Telecomedia. Busca y escribe el contrario de cada uno.**

1. nervioso/a ⇒ _____

2. moreno/a ⇒ _____

3. triste ⇒ _____

4. pequeño/a ⇒ _____

5. amigo/a ⇒ _____

6. solo/a ⇒ _____

USA TUS NOTAS

Elige una de las estaciones del año y descríbela en seis frases: di cómo están o son las cosas y las personas, lo que lleva la gente, etcétera. Compara tus descripciones con las de los/las compañeros/as que hayan elegido la misma estación.

- _____
- _____
- _____
- _____
- _____
- _____

Lecturas para el viaje

Lee la siguiente descripción buscando en un diccionario las palabras que no conozcas. Luego, relaciona el texto con la fotografía correspondiente.

PLATERO

PLATERO es pequeño, peludo, suave; tan blando por fuera que se diría todo de algodón, que no lleva huesos. Sólo los espejos de azabache de sus ojos son duros cual dos escarabajos de cristal negro.

Lo dejo suelto y se va al prado, y acaricia tibiamente con su hocico, rozándolas apenas, las florecillas rosas, celestes y gualdas... Lo llamo dulcemente: «¿Platero?», y viene a mí con un trotecillo alegre que parece que se ríe, en no sé qué cascabeleo ideal...

Come cuanto le doy. Le gustan las naranjas mandarinas, las uvas moscateles, todas de ámbar, los higos morados, con su cristalina gotita de miel...

Es tierno y mimoso igual que un niño, que una niña...; pero fuerte y seco por dentro, como piedra. Cuando paso sobre él, los domingos, por las últimas callejas del pueblo, los hombres del campo, vestidos de limpio y despaciosos, se quedan mirándolo:

–Tien´asero...

Tiene acero. Acero y plata de luna, al mismo tiempo.

JUAN RAMÓN JIMÉNEZ, *Platero y yo*,
Ed. Espasa Calpe, S. A., 1989.

1

2

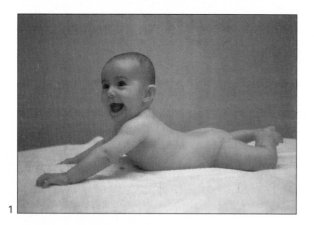

3

4

¿Cuáles son las palabras que más te han ayudado para adivinar quién es Platero?

Unidad 43   Cuando Carmen dice no

 1. Relaciona cada palabra con el dibujo correspondiente. Luego, contesta a las preguntas.

☐ imagen   ☐ cruz   ☐ nazareno   ☐ vela   ☐ procesión

1. ¿Qué sabes de la Semana Santa en España?

2. ¿Se celebra la Semana Santa en tu país? ¿Qué costumbres hay?

3. ¿Cómo participas tú en ella?

 2. ¿Qué haces en estos casos?

1. Cuando estoy enfadado/a, *grito mucho.*

2. Cuando tengo un examen al día siguiente, _____

3. Cuando tengo hambre a media mañana, _____

4. Cuando no puedo dormir, _____

5. Cuando me duele la cabeza, _____

6. Cuando estoy nervioso/a, _____

 3. Escucha y contesta según tus costumbres.

DESPUÉS

4. **Contesta a estas preguntas relacionadas con la Telecomedia.**

1. ¿Cuándo hacía David fuego por la noche con sus amigos?

   _____

2. ¿Cuándo iba Óscar muchas veces de excursión?

   _____

3. ¿Cuándo estaba Óscar cantando todo el día?

   _____

4. ¿Cuándo le gusta lavar los platos a Teresa?

   _____

5. ¿Cuándo hacía Juan tonterías como ésa?

   _____

6. ¿Cuándo le gustaba más Juan a Guadalupe?

   _____

2 ANTES

5. **Como dice Luis Cánovas, la Semana Santa de Sevilla es famosa en todo el mundo. Escucha y completa el siguiente texto para aprender más sobre ella.**

La _____ Santa de Sevilla es una de las más _____ y hermosas de _____. Durante una _____, la gente recuerda y celebra la Pasión, Muerte y Resurrección de Jesucristo. Casi todas las _____ sevillanas sacan sus _____ religiosas y las pasean en _____ por las calles. Normalmente, las procesiones se acompañan de saetas, cantos sin _____ que expresan el _____ de la persona que canta y que van dirigidos a la imagen en procesión.

La _____ se celebra sobre todo en la noche del _____ santo al _____ santo. Esa noche nadie duerme en _____ porque toda la gente está en la calle, viendo pasar las procesiones.

ESPUÉS

6. Contesta a estas preguntas relacionadas con la Telecomedia.

1. ¿Qué lleva toda la gente a la procesión?

   _____

2. ¿Cuándo usa gafas Carmen?

   _____

3. ¿Quién ha traído su cámara de fotos? ¿Por qué?

   _____

4. ¿Qué va a buscar Óscar?

   _____

5. ¿Qué le dice Óscar a Juan?

   _____

6. ¿Qué piensa Guadalupe de Óscar? ¿Estás de acuerdo con ella?

   _____

7. ¿Qué le dice Guadalupe a Juan?

   _____

USA TUS NOTAS

Completa las frases siguientes escribiendo el verbo en la forma adecuada. Luego, compara estas costumbres con las tuyas y contesta.

1. Después de *comer (comer-yo)*, siempre *tomo (tomar-yo)* un café.

   ¿Y tú? *Yo también./Yo no, no me gusta el café./Yo sólo los domingos./Etc.*

2. Cuando _____ *(viajar-yo)*, nunca _____ *(llevar-yo)* muchas cosas.

   ¿Y tú? _____

3. Cuando _____ *(ir-yo)* al cine, siempre _____ *(comprar-yo)* chocolate.

   ¿Y tú? _____

4. Yo _____ *(ducharse-yo)* antes de _____ *(desayunar-yo)*.

   ¿Y tú? _____

5. Cuando _____ *(ser-yo)* más joven, _____ *(ser-yo)* mucho más tímido/a.

   ¿Y tú? _____

6. Siempre _____ *(leer-yo)* un poco antes de _____ *(acostarme-yo)*.

   ¿Y tú? _____

Lee esta poesía de Antonio Machado inspirada en la Semana Santa de Sevilla. Después, repasa atentamente en el Cuaderno el contenido cultural de esta unidad y adivina cuál de los títulos propuestos más abajo corresponde al poema.

Dice una voz popular:
¿Quién me presta una escalera
para subir al madero
a quitarle los clavos
a Jesús el Nazareno?

¡Oh! La saeta al cantar
al Cristo de los Gitanos
siempre con sangre en las manos
siempre por desenclavar.

Cantar del pueblo andaluz
que todas las primaveras
anda pidiendo escaleras
para subir a la cruz.

Cantar de la tierra mía
que echa flores
al Jesús de la agonía
y es la fe de mis mayores.

¡Oh! No eres tú mi cantar,
no puedo cantar ni quiero,
a ese Jesús del madero
sino al que anduvo en la mar.

ANTONIO MACHADO, *Campos de Castilla,*
Ed. Aguilar, 1989.

Títulos posibles:

Los clavos de Cristo	Sevillana	Sangre gitana
La saeta	Amor, dolor	Semana Santa
Cantar de la cruz	Andalucía llora	Morir en primavera

Título elegido: _____

¿Por qué has elegido ese título? ¿Es el correcto?

1. **Escribe debajo de cada dibujo el texto que le corresponde.**

_____

_____

_____

_____

_____

_____

a) ¡Lo consiguió! ¡Lo consiguió!

b) Va a intentarlo otra vez...

c) Va a tratar de conseguir un nuevo récord.

d) ¿Será capaz de hacerlo?

e) ¡Qué pena! Pero era muy difícil conseguirlo a la primera.

f) ¡Ánimo! ¡Puedes hacerlo!

DESPUÉS

2. Relaciona según la información de la Telecomedia.

1. Rosi	ha intentado	hablar con Diego por teléfono.
2. Carmen	son capaces de	seguir trabajando con Carmen.
3. Carmen y Juan	ha conseguido	inglés.
4. Carmen	no puede con	hacer siempre lo que dice Carmen.
5. Juan	sabe	esos papeles.
6. Juan	no puede	cualquier cosa juntos.
7. Rosi	ha tratado de	volver loca a Carmen.
8. Juan	no es capaz de	escuchar ni comprender.

3. Practica con tu compañero/a.

Alumnos/as A y B:

Acabáis de empezar vuestra vida de recién casados. Sois muy felices juntos, pero estáis descubriendo algunas costumbres de vuestra pareja que no os gustan nada (deja pelos en el lavabo, fuma en el dormitorio, no cierra los armarios, siempre se olvida de las llaves, gasta demasiado dinero, etc.). Habéis intentado ser pacientes durante unos meses, pero ya no podéis más: un día discutís y os lo decís todo.

Ayuda: ¡Estoy harto/a! ¡No te soporto! ¡Me vas a volver loco/a! ¡No aguanto tu/s...! Has conseguido... He intentado... Es muy difícil... No eres capaz de...

ANTES

4. Escucha y completa. Luego, contesta a las preguntas.

En _____, como en otros países, hay muchos _____. Cuando no son _____ y quieren _____ un trabajo, tienen que hacer unas pruebas para demostrar lo que son _____ de hacer. Los que _____ superar la prueba, trabajan luego en el _____, en el _____ o en la _____.

¿Qué crees que debe saber o ser capaz de hacer...

1. un/a actor/actriz?   2. un/a profesor/a?   3. un/a periodista?

ESPUÉS

5. **Contesta a estas preguntas relacionadas con la Telecomedia.**

¿Quién...

1. ha conseguido el Primer Premio del Festival? *El equipo de "Conocer España".*

2. no es capaz de tomarse las cosas en serio? _____

3. trata de cambiar su billete? _____

4. es difícil de entender? _____

5. ha intentado hablar con Carmen? _____

6. tratará de hablar con Carmen? _____

7. quiere conseguir un buen asiento? _____

6. **Haz a tu compañero/a las siguientes preguntas.**

A	B
1. ¿A dónde van a ir Carmen y Juan a recoger el premio? 2. ¿Cuándo van a ir? 3. ¿Dónde trabaja Óscar? 4. ¿En qué va a ir Carmen a Santander?	8. ¿Quién está mal? 7. ¿Cómo quiere hablar Guadalupe con Carmen? 6. ¿De qué es el billete de Juan? 5. ¿Por qué va también Guadalupe a Santander?

USA TUS NOTAS

De estas cosas, ¿cuáles has intentado hacer alguna vez? ¿Lo conseguiste o no? Y si no, ¿por qué? Coméntalo con tus compañeros/as.

– cortarte el pelo

– hacer gimnasia todos los días

– arreglar un coche

– estudiar un idioma solo/a

– no fumar

– hacer una gran fiesta

– adelgazar

– escribir un libro

– hacer una tarta

– ir de camping

– levantarte antes

– ser más ordenado/a

Lee atentamente los siguientes trabalenguas y, luego, intenta decirlos lo más rápidamente posible.

Tres tristes tigres
comían trigo en un trigal.
¿Qué triste tigre comía más?
Los tres tristes tigres comían igual.

Cuando yo tenía, te daba;
ahora que no tengo, no te doy.
Busca a quien tenga que te dé,
que cuando yo tenga te daré.

Tres tigres comían trigo en un trigal.

Fui a comprar boquerones
a la boqueronería,
y me dijo el boqueronero
que boquerones no había
en toda la boqueronería.

No me mires,
que miran que nos miramos;
y si miran que nos miramos,
dirán que nos amamos.

Pablo Pablito clavó un clavito;
¿qué clavito clavó Pablo Pablito?

El cielo está enladrillado,
¿quién lo desenladrillará?
El desenladrillador
que lo desenladrille
buen desenladrillador será.

Yo quiero a quien quiero que me quiera
y no obligo a nadie si no quiere quererme
como yo quiero que me quiera.

Un diablo se cayó a un pozo;
otro diablo lo sacó,
y otro diablo se decía:
¿cómo diablos se cayó?

¿Lo has conseguido? ¿Has sido capaz de decirlos todos? ¿Ha sido difícil?

Unidad 45

El mejor hombre de la Tierra

1. **Lee el siguiente texto para conocer algunas cosas más sobre Santander. Luego, escucha la casete y di si las afirmaciones que se hacen son verdaderas o falsas.**

Santander, la capital de Cantabria, es una ciudad tranquila en la que viven unos 200.000 habitantes. Tiene trece playas, todas muy bonitas, y muchos parques. Son también famosos sus jardines y sus elegantes barrios, como El Sardinero, en el que se pueden ver bellísimos edificios. El más importante es el Palacio de la Magdalena, donde los reyes de España pasaban sus vacaciones de verano. El verano es la estación más animada en Santander: la Universidad Internacional Menéndez Pelayo reúne en sus cursos a un numeroso público español y extranjero; el Festival Internacional de Música llena la ciudad de melodías y bailes; sin olvidar las corridas de toros y muchas otras fiestas.

2. **Completa según lo que dice Óscar en la Telecomedia.**

1

2

3

1. La Iglesia del Cristo es _____

2. La Plaza Porticada es _____

3. Los Jardines de Piquío son _____

3. Contesta a estas preguntas relacionadas con la Telecomedia.

1. ¿Qué es lo que más le gusta de España a Guadalupe?

2. ¿Qué es lo que más le gusta a Óscar últimamente? ¿Lo dice en serio?

3. ¿Qué es lo que más le gusta a Carmen?

4. ¿Cuál es la ciudad del norte de España que más conoce Óscar?

5. ¿Qué es, según Óscar, lo mejor en esta época del año?

6. ¿Quién es la más silenciosa del autobús?

7. ¿Cuál ha sido el trabajo más agradable que Juan ha hecho en su vida?

8. ¿Qué es lo que más les interesa a Carmen y a Juan?

9. ¿Quién está tan capacitado como Carmen para responder?

10. ¿Dónde está la playa más bonita de Santander?

4. Construye las frases siguientes según la información de la Telecomedia.

1. los hombres españoles/interesantes/todos los demás

   Los hombres españoles son tan interesantes como todos los demás.

2. Juan/inteligente/Carmen

   _____

3. Juan/mentiroso/todos los hombres

   _____

4. Óscar/amable y correcto/otros

   _____

5. el agua de Santander/fría/la del Mediterráneo

   _____

6. Juan/capacitado/Carmen/para responder

   _____

5. Pregunta a tu compañero/a qué es lo que más y lo que menos le gusta de...

– su ciudad.   – el español.

– su trabajo.   – él/ella mismo/a.

6. **En la Telecomedia, Carmen y Juan se comparan con Guadalupe y Óscar. ¿Qué dicen?**

Juan dice que Óscar _____

Carmen dice que Guadalupe _____

7. **Ahora, haz tú otras comparaciones entre los protagonistas de la Telecomedia.**

Guadalupe/Carmen: *Guadalupe tiene el pelo más largo que Carmen.*

Óscar/Juan: _____

María/Guadalupe: _____

David/Juan: _____

Carmen/Guadalupe: _____

Diego/Óscar: _____

Rosi/Carmen: _____

8. **¿Cuáles pueden ser las últimas palabras de Juan? Imagínalas.**

JUAN: ¿Sabes lo que más me gusta de ti?

CARMEN: ¿Qué?

JUAN: _____

USA TUS NOTAS **¿Qué comparaciones puedes hacer entre estos personajes?**

Ayuda:

Es el/la más ... (de)   (No) Es tan ... como ...   Es más/menos ... que ...   Se parece a ...

Lee y responde a este cuestionario.

¡HOLA!

CUPÓN DE RESPUESTAS

(Cortar y enviar en sobre cerrado al apartado de Correos 6.013 de Madrid 28080)

ENCUESTA

1. ¿QUIÉN ES, EN SU OPINIÓN, LA MUJER MÁS ELE-GANTE DE ESPAÑA? _____

_____

2. ¿A QUIÉN CONSIDERA USTED LA MUJER MÁS ELE-GANTE DEL MUNDO? _____

3. ¿QUIÉN ES PARA USTED EL ESPAÑOL DEL AÑO? ___

_____

4. ¿QUIÉN ES PARA USTED LA ESPAÑOLA DEL AÑO? __

_____

5. ¿QUIÉN ES PARA USTED EL PERSONAJE NO ESPA-ÑOL MÁS IMPORTANTE DEL AÑO? _____

_____

6. ¿QUÉ PERSONAJE LE ATRAE ACTUALMENTE MÁS EN LA PORTADA DE UNA REVISTA? _____

_____

Nombre y apellidos _____

_____

Teléfono _____

Revista ¡HOLA!, nº. 2573, 2/12/93.

Necesitamos una habitación

ANTES

1. **¿Qué necesitan estas personas?**

1. Necesita _____

2. _____

3. _____

4. _____

5. _____

6. _____

2. **De estas cosas, ¿cuáles no te gusta prestar/dejar y por qué?**

– el coche

– un libro

– dinero

– el peine

– un jersey

– el reloj

– la casa

– los apuntes de clase

– unos zapatos

– el cepillo de dientes

– la cámara de fotos

– unas gafas de sol

DESPUÉS **3. Contesta a estas preguntas relacionadas con la Telecomedia.**

1. ¿Qué les presta la madre a sus hijos?

_____

2. ¿Qué necesitan Carmen y Juan?

_____

3. ¿Qué le deja su compañero a la recepcionista?

_____

4. ¿Qué no puede darle Juan a Carmen?

_____

5. ¿Qué les deja Ismael a Carmen y a Juan?

_____

6. ¿Qué le deja Juan a Carmen?

_____

7. ¿Qué le da Juan a Ismael?

_____

8. ¿Qué les presta Ismael a Carmen y a Juan?

_____

2 ANTES **4. Escucha las siguientes preguntas y contesta, completando el cuadro.**

	SÍ/NO	¿A QUIÉN?	¿POR QUÉ O PARA QUÉ?
1.	_Sí._	_A mi hermano/a._	_Para ayudarlo/a a comprarse un coche._
2.			
3.			
4.			
5.			
6.			
7.			
8.			

ESPUÉS

5. **Haz frases según la información de la Telecomedia.**

1. pueblo

   A Carmen y a Juan les ha gustado el pueblo.

2. ensalada, merluza, jamón

   _____

3. hambre

   _____

4. vino de la casa, agua sin gas

   _____

5. toallas

   _____

6. vasos de leche caliente

   _____

6. **¿Qué les ha prestado Ismael a Carmen y a Juan? Márcalo.**

☐ un peine   ☐ unos vasos de leche

☐ ropa seca   ☐ unas toallas

USA TUS NOTAS

Completa las siguientes frases de la Telecomedia con las formas adecuadas de los verbos y de los pronombres indicados.

1. Mamá, *¿nos prestas* mil pesetas? *(prestar-tú a nosotros)*

2. _____ tu bolígrafo un momento... *(dejar-tú a mí)*

3. ¿_____ _____ dinero para el teléfono? *(dar-tú a mí)*

4. Pero _____ puedo _____ lo que llevo suelto. *(dejar-yo a ti)*

5. ¿_____ _____ tu agenda? *(dejar-tú a mí)*

6. Por favor, ¿_____ _____ el pincel? *(dar-vosotros a mí)*

7. Creo que _____ _____ un premio, ¿verdad? *(haber dado-ellos a vosotros)*

8. ¿Quéréis que _____ _____ algo de ropa seca? *(prestar-yo a vosotros)*

9. Bueno, _____ unas toallas, por favor. *(dejar-tú a nosotros)*

10. ¿Puedes _____ el peine? *(prestar-tú a mí)*

Lee la siguiente transcripción de la Presentación cultural de Luis Cánovas y busca en un diccionario las palabras que no entiendas. Luego, mira bien los dibujos y relaciónalos con la o las palabras a las que pueden corresponder.

Santillana del Mar es un lugar muy especial, ya lo han visto. Es uno de los pueblos más bonitos y mejor conservados de España. Es casi casi un museo. A dos kilómetros de aquí se encuentran las famosas Cuevas de Altamira. La Cueva de Altamira, descubierta a finales del siglo pasado, es uno de los monumentos del arte paleolítico, y se ha convertido, desde su descubrimiento, en un verdadero centro de peregrinación para aquellas personas enamoradas de la historia del hombre primitivo. La cueva fue descubierta en 1868. Sus famosas pinturas de bisontes son del período magdaleniense y tienen aproximadamente 15.000 años. Por su alta calidad, la cueva ha recibido el nombre de la "Capilla Sixtina del arte cuaternario". Ya ven. Venir a Santillana es como viajar al pasado.

1. _____

2. _____

3. _____

4. _____

5. *pueblo*

6. _____

7. _____

¿Se conserva en tu país algún resto de épocas tan antiguas?

Unidad 47 Para casarse hace falta...

ANTES

1. **Contesta a estas preguntas, si no te parecen indiscretas, y compara tus respuestas con las de tus compañeros/as.**

1. *Me hace falta un colchón duro.*

1. ¿Qué te hace falta para dormir bien?

_____

2. ¿Qué debe regalarte una persona para no equivocarse?

_____

3. ¿Tienes que hacer algo esta tarde? ¿Qué?

_____

4. ¿Qué es conveniente que hagas esta semana?

_____

5. ¿Qué necesitas ahora, en este momento?

_____

6. ¿Qué hay que hacer para ponerte nervioso/a?

_____

2. **Completa las frases siguientes como creas adecuado y compara con tus compañeros/as.**

1. *No es conveniente tomar mucho el sol.*

1. No es conveniente _____

2. Es necesario _____

3. Para _____ hace falta _____

4. Hacen falta _____ para _____

ESPUÉS

3. **Vuelve a escuchar la Telecomedia fijándote bien en todas las expresiones que indican obligación y completa las frases siguientes.**

1. MARÍA *(a Carmen):* _____ ponerte un vestido más elegante.

2. MARÍA *(a todos):* ¡_____ estar alegres!

3. CARMEN *(a todos):* ____ absolutamente _____ que esperemos a Juan.

4. DAVID *(a todos):* No _____ que os levantéis.

5. ROSI *(a Diego):* Para casarse _____ tener novio.

6. RAMÓN *(a Diego):* Para casarme _____ ganar más dinero.

4. **¿Te has fijado bien en todos los detalles? Contesta a las siguientes preguntas sobre la Telecomedia. Si no sabes con qué palabras contestar a alguna, responde imitando a los personajes.**

1. ¿Hay flores en la mesa?

2. ¿Quiénes son los invitados de Carmen y María?

3. ¿Cómo entra Diego en casa de Carmen?

4. ¿Quién abre la botella de vino?

5. ¿Quién da la noticia de la boda de Carmen y Juan?

6. ¿Hay sitio para todos en los sillones?

7. ¿Quién le abre la puerta a Juan?

8. ¿Cómo hacen el brindis?

9. ¿Cómo demuestra Óscar, dos veces, su amor por Guadalupe?

10. ¿Qué le pasa a María al final?

5. **Tu compañero/a se va de vacaciones dentro de unos días y hay muchas cosas que debe hacer. Recuérdaselas con ayuda de los dibujos.**

A: *Es conveniente que nos dejes un número de teléfono.*

A	B

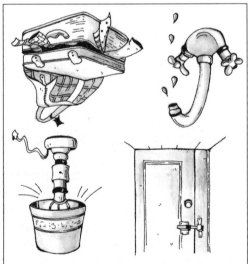

Ayuda:

Tienes que…

Hay que…

Debes…

Es necesario que…

Es conveniente que…

Hace falta que…

ESPUÉS

6. ¿Quién dice las frases siguientes en la Telecomedia?

1. Tenemos que pensar cómo queremos la boda.   *Juan*

2. Tenemos que invitar a toda la familia.   _____

3. No es necesario que se moleste.   _____

4. No necesito probarme más.   _____

5. Hace falta valor para salir así a la calle.   _____

6. Tiene que ser el banquete más bonito del mundo.   _____

7. ¿Necesitas que te lo demuestre?   _____

8. Tiene que firmar aquí.   _____

9. Para saberlo hay que abrirlo.   _____

7. ¿Verdadero (V) o falso (F)?

1. Óscar y Guadalupe también se van a casar. ☐

2. Carmen quiere una boda con muchos invitados. ☐

3. María prefiere una boda más sencilla. ☐

4. Juan tiene que ir a buscar a su familia el domingo. ☐

5. A la boda irán también los primos de Juan. ☐

6. Según Carmen, es necesario demostrar el amor. ☐

8. ¿Cómo crees que será finalmente la boda de Carmen y Juan? Discútelo con tus compañeros/as (en la unidad siguiente podréis comprobar vuestras respuestas).

USA TUS NOTAS

Elige uno de estos objetivos y di a tu compañero/a qué es necesario hacer para conseguirlo. Según lo que le digas, él/ella adivinará de qué objetivo se trata.

A: *Para conseguirlo, es necesario comer con orden y comer menos, aunque no hace falta morirse de hambre. También es conveniente hacer ejercicio./Etc.*
B: *Adelgazar.*

– adelgazar
– ser feliz
– encontrar marido/mujer
– ser un/a buen/a jefe/a
– encontrar trabajo

– aprobar un examen
– llevarse bien con los/las amigos/as
– buscar piso
– curar un resfriado
– ser un/a buen/a padre/madre

¿**Cómo se hace una paella de verduras? Aquí tienes la receta. Pero le faltan datos. Búscalos en la conversación que vas a oír.**

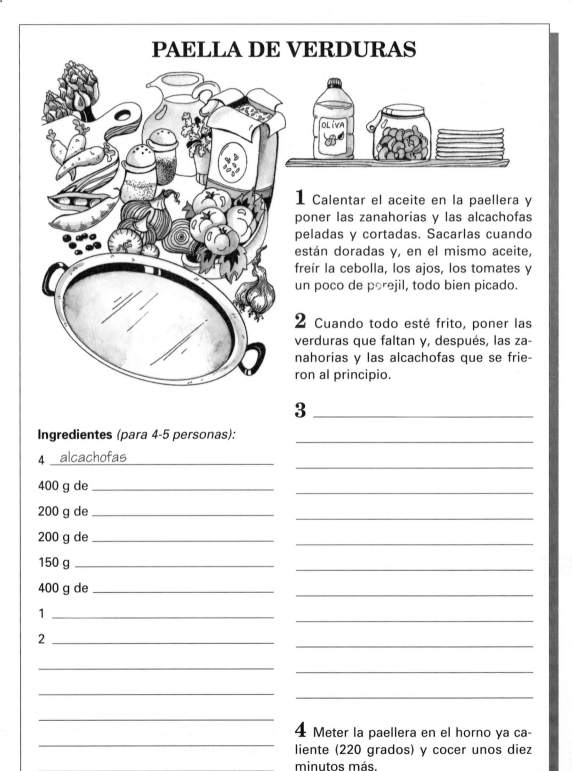

PAELLA DE VERDURAS

1 Calentar el aceite en la paellera y poner las zanahorias y las alcachofas peladas y cortadas. Sacarlas cuando están doradas y, en el mismo aceite, freír la cebolla, los ajos, los tomates y un poco de perejil, todo bien picado.

2 Cuando todo esté frito, poner las verduras que faltan y, después, las zanahorias y las alcachofas que se frieron al principio.

3 _____
_____
_____
_____
_____
_____
_____
_____
_____
_____
_____
_____

Ingredientes *(para 4-5 personas):*

4   _alcachofas_____

400 g de _____

200 g de _____

200 g de _____

150 g _____

400 g de _____

1 _____

2 _____

_____

_____

_____

4 Meter la paellera en el horno ya caliente (220 grados) y cocer unos diez minutos más.

Unidad 48 ¡Ay, el teléfono!

1. Vuelve a escuchar la Presentación y completa las frases siguientes.

1. Sí, sí, dime... No, _____ _____ muy mal. ¿_____ _____?

2. ¿_____ Manuela? Soy Joaquín. Manuela, _____ _____.

3. Señorita, quería una _____ con París. A _____ _____.
   Con este número: cinco _____ tres, _____ seis, seis _____.

4. —Está _____.
   —Llama a casa de tu padre.

5. Papá, _____ Carlos; _____ esta noche voy al cine y llegaré tarde a casa. Hasta luego.

6. ¿Sí, _____? ¿_____? ¿Que hoy es la boda? Vale, vale. Un momento, por favor, que ahora _____ _____. _____ para usted. Creo que Carmen y Juan quieren invitarlo a su boda.

2. Aquí tienes unas afirmaciones sobre las llamadas del ejercicio anterior. Léelas y di si son verdaderas o falsas.

1. La señora que llama es sorda.
2. Manuela no conoce a Joaquín.
3. La conferencia a París la pagará el destinatario.
4. La chica no puede hablar porque alguien está usando el teléfono en ese momento.
5. En casa de Carlos hay un contestador automático.
6. Luis Cánovas quiere que te pongas al teléfono.

3. ¿Qué problemas hay antes de la boda de Carmen y Juan?

1. *Juan quema sus pantalones con la plancha.*
2. _____
3. _____
4. _____

4. En la Telecomedia se mencionan dos números de teléfono. Vuelve a escucharla y marca cuáles son.

☐ 367 81 77   ☐ 217 41 67   ☐ 366 81 77
☐ 667 81 77   ☐ 217 41 78   ☐ 217 41 68

5. **En la Telecomedia, ¿a quién llaman estos personajes y qué dicen?**

1. *María llama a Alicia. Le dice que Carmen va a ir a la peluquería y que la ponga bien guapa.*

2. Leo _____

_____

3. Óscar _____

_____

4. María _____

_____

ANTES

6. **Has llamado a cinco números de teléfono, y en todos te ha respondido un contestador automático. Escucha y deja un mensaje en dos de ellos.**

Mensaje para el contestador nº ☐ : _____

_____

_____

_____

_____

Mensaje para el contestador nº ☐ : _____

_____

_____

_____

_____

7. **Ahora piensa y escribe qué puedes grabar en tu propio contestador automático para que tus amigos/as dejen su mensaje.**

_____

_____

_____

_____

_____

ESPUÉS

8. Completa estos datos sobre la llamada de Guadalupe.

1. Tipo de llamada: _____

2. Forma de pago: _____

3. Lugar de origen: _____

4. Lugar de destino: _____

5. Número de teléfono: _____

6. Lugar de la llamada: _____

7. Número de la cabina: _____

9. En la columna de la izquierda aparecen algunas de las palabras que dice el juez en la boda de Carmen y Juan. Relaciona cada una con la palabra de la derecha que explique su significado.

1. cónyuges   a) ponerse en pie

2. socorrerse   b) juntos

3. levantarse   c) decir sí

4. mutuamente   d) en bien

5. en interés   e) casarse

6. reunidos   f) marido y mujer

7. consentir   g) ayudarse

8. contraer matrimonio h) uno a otro

USA TUS NOTAS

¿Qué puedes decir por teléfono...

1. cuando alguien llama y descuelgas? *¿Sí?/¿Diga?/¿Dígame?*

2. para preguntar quién llama?

3. para identificarte?

4. para preguntar por una persona?

5. para pedirle a alguien que espere?

6. para dejar un mensaje a alguien que no está?

7. cuando la persona que llama se ha equivocado?

8. para asegurarte de que no te has equivocado de número?

9. cuando no oyes a la otra persona?

Lecturas para el viaje

Lee el siguiente artículo y, luego, contesta a las preguntas.

LA NUEVA FACTURA DETALLADA

LLAMADAS RECOGIDAS EN SERVICIO AUTOMÁTICO (EXCEPTO METROPOLITANAS)

ABONADO LLAMADO		FECHA	HORA INICIO	DURACIÓN mmm:ss	PASOS	IMPORTE (Ptas.)	ABONADO LLAMADO		FECHA	HORA INICIO	DURACIÓN mmm:ss	PASOS	IMPORTE (Ptas.)
8033633	P	06 JUN	20:13	1:27	8	34,88	911300080	N	21 JUN	10:02	2:30	31	135,16
923269448	N	08 JUN	13:50	1:47	24	104,64	8034883	P	23 JUN	11:40	0:39	7	30,52
911300080	N	09 JUN	14:12	2:51	35	152,60	073358526565	I	27 JUN	17:41	5:59	156	680,16
947298099	N	10 JUN	08:20	0:31	10	43,60	988723100	N	30 JUN	10:12	0:34	11	47,96
073358526565	I	12 JUN	09:32	9:30	242	1.055,12	988723100	N	02 JUL	12:23	0:49	13	56,68
911300080	N	15 JUN	10:12	1:25	20	87,20	9031117810	R	03 JUL	11:00	1:12	19	82,84
947298099	N	16 JUN	17:15	0:37	9	39,24	094	R	03 JUL	11:42	0:21	15	69,76
8033745	P	17 JUN	19:12	0:42	7	30,52	911300080	N	30 JUL	14:01	6:02	69	300,84
8033633	P	18 JUN	15:12	0:48	9	39,24	988723100	N	02 AGO	14:30	3:43	44	191,84
923269448	N	18 JUN	16:15	2:23	30	130,80	947298099	N	03 AGO	09:38	0:43	12	52,32
911300080	N	19 JUN	14:10	3:52	19	52,54	988726672	N	03 AGO	13:50	2:38	33	143,88
923269448	N	20 JUN	14:30	3:43	19	82,84	911300220	N	03 AGO	14:05	0:31	10	43,60
8034883	P	20 JUN	17:30	0:55	6	26,16	073541671000	I	04 AGO	09:40	1:15	45	200,56
9031117810	R	20 JUN	18:02	12:36	121	527,56	908116420	R	05 AGO	10:10	2:50	43	187,48

El pago de esta factura se acredita mediante el correspondiente adeudo bancario o el recibí de caja

Sólo dos millones de abonados al teléfono recibirán facturación detallada en 1994

Dos millones, de los catorce millones de abonados al teléfono, recibirán a partir del próximo año una factura detallada en la que aparecerá el número al que se ha llamado, la fecha, la hora de llamada, la duración, los pasos y el importe –aunque el recibo no especificará el lugar de destino de la llamada, como ocurre en otros países–. La nueva factura, que será bimensual, indicará también el tipo de llamada (P, provincial; N, nacional; I, internacional y R, llamadas especiales). Las llamadas especiales son las que se hacen a teléfonos que empiezan, por ejemplo, con 903 (más conocidos por *party line*) o los servicios públicos (tiempo, información, carreteras, despertador, ...).

Esta ampliación de datos respecto a los recibos anteriores es gratuita en el caso de llamadas internacionales, nacionales y provinciales; en cambio, las personas que quieran controlar las llamadas urbanas tendrán que pagar un suplemento.

Por cuestiones técnicas, este servicio no llegará a todos los abonados hasta 1997.

Texto adaptado de *El País*, 20 de octubre de 1993.

1. ¿Cuál de las frases siguientes dice lo mismo que el titular de la noticia?

   a) Todos los recibos de teléfono de 1994, en total dos millones, darán información completa de cada llamada.

   b) En 1994 sólo los recibos de teléfono de dos millones de personas tendrán información completa de cada llamada.

   c) En 1994 menos de dos millones de personas recibirán las facturas de teléfono con información completa de sus llamadas.

   d) En 1994 sólo dos millones de recibos de teléfono no tendrán información completa de las llamadas.

2. ¿Cuándo recibirán todos los españoles facturas detalladas de teléfono?

3. ¿Qué información darán las facturas detalladas de teléfono?

4. ¿Qué información dan las facturas de teléfono en tu país?

5. ¿Cuál crees que es la información más importante que aparece en los recibos?

1. Tú y tu compañero/a habéis visto un cartel anunciando un crucero y habéis pensado hacerlo este verano. Imaginad cómo va a ser vuestro viaje con ayuda de las siguientes preguntas.

LA AVENTURA ES LA AVENTURA.

MARE NOSTRUM CRUCEROS

1. ¿Cuántos días estaréis viajando?

_____

2. ¿A dónde va a ir el barco?

_____

3. ¿De dónde va a salir el barco?

_____

4. ¿Por dónde va a ir el barco?

_____

5. ¿En dónde va a hacer escalas el barco?

_____

6. ¿Qué equipaje vais a llevar?

_____

7. ¿Qué vais a hacer en el viaje?

_____

2. Escucha de nuevo la Telecomedia y haz una cruz al lado de estas palabras cada vez que oigas una de ellas.

1. aquí _____

2. ahí _____

3. falta/n _____

4. hacia _____

5. al lado de _____

6. a ... kilómetros _____

7. cerca _____

8. desde ... hasta _____

3. Contesta a estas preguntas relacionadas con la Telecomedia.

1. ¿De dónde vienen Carmen y Juan? _____

2. ¿A cuánto está Madrid? _____

3. ¿Dónde está La Roda? _____

4. ¿Cuánto hay desde el hotel de Carmen y Juan hasta el puerto? _____

5. ¿Cuánto falta para Ibiza? _____

4. Marca la respuesta adecuada.

1. El crucero de Carmen y Juan es de...
   a) placer.
   b) aventura.
   c) trabajo.

2. En el barco viajan...
   a) seis personas.
   b) siete personas.
   c) ocho personas.

3. Juan quería un viaje con...
   a) más aventuras.
   b) más gente.
   c) menos gente.

4. Carmen dice que pueden volver...
   a) a Madrid.
   b) al hotel.
   c) a la agencia.

5. Yolanda piensa que el viaje es...
   a) perfecto.
   b) divertido.
   c) peligroso.

6. Todos los pasajeros son...
   a) recién nacidos.
   b) recién llegados.
   c) recién casados.

ANTES

5. Cada número del mapa corresponde a uno de los lugares citados en la Telecomedia o en la Presentación. Búscalos y escríbelos.

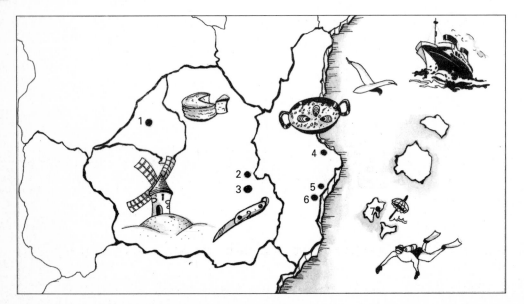

1. _____
2. _____
3. _____
4. _____
5. _____
6. _____
7. _____

42

6. **Contesta a las siguientes preguntas sobre la Presentación.**

1. ¿Dónde está la Comunidad Valenciana?
2. ¿Qué dos ciudades no están muy lejos?
3. ¿Por qué hay tanto turismo en esta zona?
4. ¿Qué son los merenderos?
5. ¿Cuál es la comida más típica?
6. ¿Al lado de qué mar está la Comunidad Valenciana?
7. ¿Conoces alguna otra cosa de esta zona?

DESPUÉS

7. **Con estas letras puedes formar palabras que han aparecido en la Telecomedia. Ordénalas y escribe la palabra. Luego, relaciona cada una con la frase adecuada.**

1. MONBABO	_ _ _ _ _ _ _	a) No está ni al norte ni al sur.
2. LICHOMA	_ _ _ _ _ _ _	b) Carmen se fue hacia ellas.
3. ALSI	_ _ _ _	c) Se pone por encima del hombro.
4. PAAM	_ _ _ _	d) Está debajo del agua y va hacia Carmen.
5. COARS	_ _ _ _ _	e) Se lleva detrás de la espalda para ir de excursión.
6. BIRUTÓN	_ _ _ _ _ _ _	f) Hay caminos y lugares dibujados.

USA TUS NOTAS   **Completa las siguientes preguntas con la palabra adecuada.**

a) ¿Sabes _____ están los libros que compré ayer?

b) ¿Puede decirme _____ dónde se va al centro de la ciudad?

c) ¿_____ dónde vienes a estas horas?

d) ¿A _____ está Valencia de Madrid?

e) ¿Cuánto _____ todavía para llegar a Cuenca?

f) ¿_____ dónde vamos a ir esta tarde con Isabel?

g) ¿Cuántos kilómetros hay _____ tu casa hasta aquí?

h) Perdón, ¿este tren va _____ el norte?

Ahora, escucha la casete y relaciona cada respuesta con su pregunta.

Respuestas: 1. - *c)*   2.___   3.___   4.___   5.___   6.___   7.___   8.___

Lecturas para el viaje

Lee el siguiente artículo en el que se describe el carácter de las personas según su forma de viajar. Luego, elige otra de las formas de viajar propuestas al final y escribe un texto parecido.

«DIME CÓMO VERANEAS Y TE DIRÉ QUIÉN ERES.»

El verano es el momento de las vacaciones para mucha gente. Es entonces cuando aparecen preguntas como ¿dónde ir?, ¿cómo? y ¿con quién? Las respuestas están relacionadas con cuestiones prácticas como el dinero, el tiempo o la familia, pero también con cuestiones psicológicas. Según algunos psicólogos, «detrás de cada elección está la personalidad de cada persona». Veamos qué tipo de personas son las que eligen uno u otro tipo de viaje.

Viajar solo. Las personas que viajan solas son independientes y muy abiertas. Normalmente son sociables con la gente que es como ellas, pero no con los grupos. Les gusta vivir nuevas experiencias y decidir dónde y cuánto tiempo van a estar en un lugar. Son, además, personas bastante prácticas, que saben solucionar solas los problemas que puede haber durante el viaje.

Las vacaciones familiares. Hermanos, abuelos, tíos, nietos..., todos juntos a todas partes. Pueden ser personas que no reciben cariño suficiente en otros ambientes (el trabajo, los amigos), o que dan mucha importancia a la familia y sólo en ella se sienten bien y seguros. Suelen tener un carácter conformista y sociable, ya que la decisión de a dónde ir y cómo la toman siempre en grupo. En general prefieren la comodidad y la rutina. Les gusta tener gente a su alrededor.

Lugares aislados. Balnearios, refugios en el campo..., allí van generalmente personas que, por su trabajo, viajan mucho y tienen una necesidad muy grande de cambiar su ritmo habitual. También es ideal para las personas con estrés que necesitan tranquilidad y silencio. Son personas a las que no les importa no tener cerca las comodidades habituales de lugares más poblados (cines, tiendas, restaurantes...) y que disfrutan paseando, leyendo o pensando.

Texto inspirado
de *El País Semanal*, 8/08/93.

Otras formas de viajar:

Viajes organizados.
El lugar "de toda la vida".
Lugares muy turísticos.
Camping.

_____

_____

_____

_____

_____

_____

Y tú, ¿cómo viajas? ¿Por qué?

Unidad 50

Pregunta qué fiesta es hoy

1. **¿Qué están diciendo? Estas frases te ayudarán.**

1. Don Quijote le pregunta a Sancho si ve aquellos gigantes y le dice que va a luchar con ellos.
2. El genio le dice a Aladino que pida tres deseos y que lo deje libre.
3. King Kong le pregunta a la chica que qué hace una chica como ella en un lugar como ése.
4. Romeo le dice a Julieta que la amará hasta la muerte y después de ella.
5. El lobo le pregunta a Caperucita cómo se llama y a dónde va con esa cesta.
6. La mujer le pregunta a Drácula si no prefiere un zumo de tomate.

¿Ves aquellos gigantes? ¡Voy a luchar con ellos!

2. ¿Quién...

1. ha preguntado que qué tal el viaje?   *Ramón*

2. ha dicho que no quiere ver más barcos?   _____

3. ha preguntado que qué tal la vida de casado?   _____

4. ha dicho que todavía están de luna de miel?   _____

5. ha dicho que se ha olvidado del horno?   _____

6. ha preguntado cuánto dura la película de esta noche? _____

2 ANTES

3. Escucha y completa el siguiente texto sobre la Noche de San Juan.

La Noche de San Juan es la _____ del 23 al 24 de _____, el solsticio de

_____, la noche más _____ del año. Es una fiesta pagana que ha lle-

gado hasta nosotros desde muy lejos. Una fiesta, como otras muchas, en honor del

_____: las hogueras que esa noche _____ alegremente en todo

el _____ (y, sobre todo, en la zona del _____) son como un

mensaje para el _____ Sol, para decirle que no se lleve nunca de la

Tierra ni su _____, ni su _____. Es una noche _____ en la que se

dice que muchos elementos, como el _____ y ciertas plantas, cobran propie-

dades maravillosas que _____ y protegen al hombre de muchos males. Es

una noche, también, de bellas tradiciones, como la de saltar por encima de las

_____ para conseguir un año de _____ _____. Es la misma noche,

y no otra, que Shakespeare eligió para su _____ de una noche de verano.

ESPUÉS

4. **Piensa en seis palabras relacionadas con las imágenes de la Teleco-media y dile a tus compañeros/as de dónde has sacado cada una.**

– verde: El vestido de Carmen es verde.

5. **Carmen ha enviado una postal a su madre desde Altea. Encantada, María llama a una amiga para contarle lo que le dice Carmen. ¿Cómo lo hace?**

He recibido una postal de Carmen. Dice que llegó ayer a Altea y que...

Altea, 25 de junio

Querida mamá,

Ayer llegamos a Altea. Yo me he divertido mucho en el crucero, pero Juan dice que no quiere ver más barcos. El pobre se marea. ¡Qué marido tengo! Ramón vino a buscarnos para llevarnos al pueblo. Allí conocimos a su madre. Es muy simpática: tenía una tarta para Juan porque ayer fue su santo, San Juan. Por la noche Ramón nos llevó a una fiesta. Juan y yo saltamos tres veces por encima de una hoguera para pedir un deseo (espero que se haga realidad). Y eso es todo. ¿Qué tal estás tú? Pronto nos veremos.

Un beso muy fuerte a ti y a David,

Carmen.

Sra. María Alonso

C/ Sagasta, 3

28004, Madrid

USA TUS NOTAS

Piensa en una o más frases que uno de los personajes de las siguientes parejas puede decir o preguntar. Luego, díselas a tu compañero/a para que adivine de qué pareja se trata.

A: Pregunta si está libre. Dice que va a la calle Rosales. Pregunta si puede ir más deprisa./Etc.

B: Pareja cliente/a-taxista.

A
1. cliente/a - taxista
2. hijo/a - padre/madre
3. adivino/a - cliente/a
4. cliente/a - dependiente/a

B
4. médico - paciente
3. alumno/a - profesor/a
2. marido - mujer
1. camarero/a - cliente/a

Lecturas para el viaje

Lee la siguiente información sobre el español y resume lo que dice el texto a tu compañero/a. Luego, hazle las preguntas correspondientes para saber si lo ha entendido bien. Él/Ella hará lo mismo.

Mi texto dice que el español es...

A

El español en la Península

El español es una de las lenguas románicas derivadas del latín. Es el idioma oficial de España y lo hablan unos 40 millones de personas. Pero en España hay, y así lo establece la Constitución Española de 1978, otras tres lenguas oficiales en sus respectivas comunidades autónomas. Dos de estas lenguas son también de origen románico: el catalán y el gallego. El catalán, lengua de unos 7 millones de personas, se habla en Cataluña, en Valencia y en las Islas Baleares. El gallego, muy parecido al portugués, lo hablan unos 3 millones de personas en Galicia. La tercera lengua en cambio, el vascuence, no procede del latín, y es una de las lenguas más antiguas de Europa. El vascuence es la lengua del País Vasco y lo hablan unas 600.000 personas.

B

El español en el mundo

El español es la cuarta lengua del mundo por número de hablantes y la segunda como lengua de comunicación internacional. En la actualidad, más de 330 millones de personas hablan español en el mundo. En Estados Unidos hay más de 22 millones de habitantes de origen hispano, y se calcula que en el año 2000 serán 35 millones, un 14 por 100 de la población. En los diez últimos años la demanda de enseñanza del español en el mundo se ha duplicado. España e Hispanoamérica tienen actualmente casi 1.000 diarios, 254 canales de televisión y más de 5.000 emisoras de radio. El español es lengua oficial en los países hispanoamericanos, en algunos como lengua única y en otros junto con lenguas de origen indígena como el guaraní o el quechua.

A

1. ¿De dónde proceden las lenguas románicas?
2. ¿A qué otra lengua se parece el gallego?
3. ¿Dónde se habla catalán? ¿Y gallego?
4. ¿Cuántas lenguas oficiales hay en España y cuáles son?

B

1. ¿Qué lugar ocupa el español en el mundo por número de hablantes?
2. ¿Cuántas personas hablan español en el mundo?
3. ¿Qué ha pasado con la enseñanza del español en los últimos 10 años?
4. ¿Hay otras lenguas oficiales en Hispanoamérica además del español?

Amplía estas informaciones con el mapa de la Geografía del español que tienes al final del Cuaderno.

Unidad 51 Hace dos semanas

1. Completa las frases como en el modelo.

1. Las Olimpiadas de Barcelona fueron hace cuatro años.

   Estamos en el año *1996*.

2. Faltan exactamente tres meses para Navidad.

   Estamos a _____

3. Hace cinco días era martes.

   Hoy es _____

4. Faltan seis días para que termine enero.

   Estamos a _____

5. Acaba de empezar la primavera.

   Estamos en el mes de _____

6. El autobús pasa cada media hora. A las cuatro vendrá otro.

   El último autobús pasó a las _____

7. Cristóbal Colón llega a América.

   Es el _____

2. Ahora, prepara tú un ejercicio similar al anterior para que conteste tu compañero/a.

1. _____
   _____

2. _____
   _____

3. _____
   _____

4. _____
   _____

3. ¿Qué crees que va a pasar con la paella? Discútelo con tu compañero/a. Aquí tenéis algunas ideas: se quemará, saldrá muy buena/mala, no habrá bastante, se caerá al suelo, alguien la robará, ganará un premio, ...

A: *Yo creo que la paella no saldrá muy bien porque Juan no sabe cocinar.*
B: *No, yo creo que saldrá bien, pero que no habrá bastante.*

50

4. Contesta a estas preguntas relacionadas con la Telecomedia.

1. ¿Cuánto hace que Ramón espera a Carmen y a Juan? _____
2. ¿Cuánto hace que Rosi va al pueblo de Ramón? _____
3. ¿Y cuándo va Rosi al pueblo de Ramón? _____
4. ¿Cada cuánto tiempo va Diego al pueblo de Ramón? _____
5. ¿Cuánto hace que Vicens está esperando al grupo? _____
6. ¿Cuánto falta para comer? _____
7. ¿Cuánto hace que se han casado Carmen y Juan? _____
8. ¿Cuánto hace que Isa es novia de Pep? _____
9. ¿Cuándo va a ser la boda de Isa y Pep? _____
10. ¿Y cuánto falta para diciembre? _____

5. Para cada actividad del recuadro, contesta a una de las siguientes preguntas:

– ¿Cada cuánto tiempo realizas normalmente esa actividad?
– ¿Cuánto hace que no has realizado esa actividad?
– ¿Cuánto falta para que realices esa actividad?

ir al cine	leer el periódico	comprar zapatos
ir a clase de español	hacer deporte	lavarse los dientes
ir al campo	ver a los/las amigos/as	cenar fuera
celebrar la Navidad	hacer la comida	renovar el pasaporte

DESPUÉS

6. Marca qué cosas han hecho en esta unidad los personajes de la Telecomedia.

☐ casarse   ☐ comer naranjas
☐ preparar la comida   ☐ cantar canciones
☐ ir a un concierto   ☐ comer paella
☐ bañarse en un río   ☐ contar chistes
☐ jugar al fútbol   ☐ comprar naranjas
☐ escuchar música   ☐ encender fuego

7. **¿Recuerdas quién ha hecho cada cosa? Escríbelo, dando la información más completa posible.**

1. *Ramón y Juan han preparado la comida: han hecho una paella.*

2. _____

3. _____

4. _____

5. _____

6. _____

7. _____

8. **Con la ayuda de los ejercicios 6 y 7, haz tú ahora un resumen de la Telecomedia y compáralo con el de tus compañeros/as.**

_____

_____

_____

_____

_____

9. **¿Quién contestó correctamente a la pregunta del ejercicio 3?**

USA TUS NOTAS **Escucha y completa cuando sea posible.**

	Medio de transporte	Origen	Destino	Hora de salida	Hora de llegada	Frecuencia
1.	tren	—	Oviedo	10.30	—	—
2.						
3.						
4.						
5.						

¿Recuerdas cuánto falta para que...

a) salga el tren de Oviedo?
b) llegue el avión de Tomás?
c) llegue el tren de Málaga?

Lecturas para el viaje

En el Libro tienes un pequeño resumen de los acontecimientos más importantes o curiosos de los años cincuenta. Haz tú ahora con tu compañero/a un resumen de los años noventa, buscando ilustraciones y escribiendo las noticias correspondientes.

1990

3 de enero: muere el pintor catalán **Salvador Dalí.**

1991

Unidad 52   ¿Le importa que...?

1. Éstos son algunos de los carteles que puedes encontrar en un zoo. Relaciónalos con el dibujo o los dibujos correspondientes.

a

b

c

d

b-c No dar comida a los animales.

___ Los niños deben ir acompañados de adultos.

___ Felinos/Aves/Acuario

___ Utilice las papeleras.

___ Coja un folleto.

___ La Tienda del Zoo

___ No pisar la hierba.

___ Salida

___ No acercarse a las jaulas.

___ No fumar en los recintos cerrados.

___ Siga las flechas.

___ Adultos 500 ptas. Niños menores de 12 años 250 ptas.

e

f

2. Ahora, relaciona cada dibujo del ejercicio anterior con las frases que vas a oír.

Dibujo a. Frases: *3 y 7*   Dibujo c. Frases: _____   Dibujo e. Frases: _____

Dibujo b. Frases: _____   Dibujo d. Frases: _____   Dibujo f. Frases: _____

DESPUÉS

3. Relaciona las siguientes palabras según la información de la Teleco-media.

1. estar
2. colocar
3. entrar
4. dejar
5. ser
6. dormir
7. sentarse

a) un poco
b) encima
c) sitio
d) grande
e) agotado
f) en brazos
g) la ropa

4. Escribe ahora una frase, lo más completa posible y relacionada con la Telecomedia, con cada una de las parejas de palabras del ejercicio anterior.

1. *Carmen y Juan han vuelto de su viaje de novios y tienen muchas cosas que hacer. Pero Juan **está agotado** y necesita descansar un poco.*

2. _____

_____

3. _____

_____

4. _____

_____

5. _____

_____

6. _____

_____

7. _____

_____

ANTES

5. Practica con tu compañero/a.

Alumno/a A: Estás buscando un/a compañero/a para compartir tu piso y has puesto varios anuncios. Hoy tienes una entrevista con una persona que está interesada: explícale las reglas de la casa, lo que quieres que haga o no, lo que te molesta, etc.

Alumno/a B: ·ɔʇǝ 'sɐʎnʇ sǝɹqɯnʇsoɔ
ɐunƃlɐ uɐʇɹodɯı ǝl ıs 'ou o ɹǝɔɐɥ sǝpǝnd ǝnb ol ǝlʇunƃǝɹd :ɐll/lǝ uoɔ ɐʇsıʌǝɹʇuǝ
ɐun sǝuǝıʇ ʎoH ·osıd ns ɹıʇɹɐdɯoɔ uǝ ɐ/opɐsǝɹǝʇuı sǝʇsǝ ʎ ∀ ǝp oıɔunuɐ lǝ opıǝl sɐH

Ayuda: ¿Te molesta/importa (que)...?   Hay que...   Tienes que...   Quiero (que)...
No + imperativo

6. **Ordena las siguientes frases numerándolas de acuerdo con la Tele-comedia y escribe quién las ha dicho.**

☐ "Siéntate un rato y tranquilízate." _____

☐ "Tenéis que venir a verlo." _____

1 "Quiero que lo ponga usted aquí." *Carmen*

☐ "¿Os molesta que hayamos venido?" _____

☐ "Queremos deciros una cosa muy importante." _____

☐ "No toques nada." _____

7. **¿Qué problemas tienen Carmen y Juan? Utiliza las palabras del recuadro.**

el armario del cuarto de baño	el grifo de la cocina
la ropa de Carmen	la nevera

1. *El armario del cuarto de baño es muy pequeño para dos personas.*

2. _____

3. _____

4. _____

USA TUS NOTAS

Completa los siguientes diálogos con los pronombres que faltan.

1. —¿Puedo dar____ un caramelo a la niña?

   —Bueno, pero da____ sólo uno.

2. —¿A tus padres no ____ molesta que ____ llame a estas horas?

   —No, no ____ preocupes. Siempre ____ acuestan bastante tarde.

3. —¿____ importa que llame un momento por teléfono?

   —No, llame, llame.

4. —¿____ importa dejar____ este libro unos días?

   —No, cóge____, ____ ya ____ he leído.

5. —¿Abres ____ la puerta?

   —Sí, ya voy.

6. —¿____ molesta que me siente aquí?

   —No, claro que no, siénte____, por favor.

Lecturas para el viaje

Lee atentamente la descripción de las siguientes situaciones. Luego, elige una y haz lo que se te pide en cada caso, utilizando algunas de las expresiones que has practicado en esta unidad.

1. Tu nuevo/a compañero/a de piso se levanta muy temprano por las mañanas y cada día te despierta porque pone la música muy alta, cierra las puertas de golpe y hace mucho ruido en la cocina cuando se prepara el desayuno. Mañana quieres dormir hasta tarde porque estás agotado/a y no quieres que te despierte. Escríbele una nota para que la vea antes de acostarse pidiéndole que, por favor, no haga las cosas que te molestan.

2. Tienes que ir varios días a casa de tus padres, que viven en otra ciudad. En tu cuarto tienes una jaula con dos pajaritos y una pecera con varios peces. A tu nuevo/a compañero/a de piso no le importa cuidar de tus animales, pero debes explicarle qué tiene que hacer. Escríbele una nota para que la vea cuando entre en tu cuarto.

3. Tu nuevo/a compañero/a de piso tiene unos días de vacaciones. Como tú no lo necesitas, no te importa prestarle el coche. Pero sabes que tu compañero/a es un poco descuidado/a y has pensado escribirle una nota para que la vea cuando coja el coche. Escribe la nota pidiéndole que, por favor, tenga cuidado con algunas cosas.

_____

_____

_____

_____

_____

ANTES **1.** Contesta a las siguientes preguntas. Compara tus respuestas con las de tus compañeros/as.

1. ¿Qué vas a hacer esta tarde?

_____

2. ¿Vas al cine esta noche?

_____

3. ¿Qué piensas hacer pasado mañana?

_____

4. ¿Has decidido ya qué vas a hacer este fin de semana?

_____

5. ¿Sabes si vas a seguir estudiando español el próximo año?

_____

2. A cada uno de estos lugares, pueblo, urbanización y ciudad, le corresponde una determinada forma de vivir. Elige una y describe brevemente, como en los modelos, algunas de sus características.

Foto 1: *Todo el mundo se conoce.*
Foto 2: *Por las mañanas hay que ir a la ciudad en medio de un atasco.*
Foto 3: *A veces, ni la gente de un mismo edificio se conoce.*

_____

_____

_____

DESPUÉS

3. Completa las frases siguientes y ordénalas, numerándolas según la Telecomedia.

☐ Muy bien, vamos a empezar por la _____.

☐ Como ven, no hace falta vivir en la _____.

☐ He pensado hacer una merienda el _____.

☐ Pues yo no sé si ir al de _____.

☐ Oye, ¿nosotros pensamos tener _____?

☐ He decidido apuntar también al pequeño a los cursos de _____.

4. En un centro comercial pueden encontrarse distintos tipos de establecimientos. En la Telecomedia se mencionan tres. ¿Cuáles?

1. _____ 2. _____ 3. _____

2 ANTES

5. Contesta a estas preguntas sobre la Presentación.

1. ¿Qué dos problemas hay en las grandes ciudades?
2. ¿Cuántas urbanizaciones hay cerca de Madrid?
3. ¿Cómo se puede ir a esas urbanizaciones?
4. ¿Para qué van a Madrid las personas que viven en las urbanizaciones?
5. ¿Qué se puede hacer en una urbanización después de trabajar?

6. Las siguientes palabras van a aparecer en la Telecomedia. Busca su significado y observa las diferencias que hay entre una y otra.

1. chalé: _____

2. piso: _____

3. casa: _____

4. apartamento: _____

5. mansión: _____

¿Cuál de estas palabras puede referirse a todas las demás?

7. Relaciona según la información de la Telecomedia.

1. Tú también querías

2. No pienso vivir nunca

3. He decidido no hacerte caso y

4. Nunca hemos pensado

5. Tú has decidido

6. He decidido haceros

7. No sé si

a) no discutir contigo.

b) vivir en la ciudad.

c) el mejor regalo del mundo.

d) salir de allí, ¿no?

e) vivir tan lejos.

f) en un sitio como éste.

g) besarte o abrazarte.

8. Contesta a estas preguntas relacionadas con la Telecomedia.

1. ¿Cuándo decidirán Carmen y Juan la duración del programa?

   Dentro de _____

2. ¿Cuándo tienen que estar Carmen y Juan en Madrid?

   _____

3. Según Carmen, ¿cuándo estarán ella y Juan en casa?

   _____

4. Según Juan, ¿cuándo podrán él y Carmen comprar una casa más grande?

   _____

9. Escucha y contesta a estas preguntas sobre la Telecomedia.

USA TUS NOTAS

Vuelve a ver el apartado "Tome nota" y completa.

¿_____ hacer?

1. Yo _____ a la playa.

2. Yo _____ un paseo en bicicleta.

3. Yo _____ ir de compras.

4. Yo _____ escuchar música o leer.

5. Yo _____ sentarme aquí a descansar.

¿Cuál de estas actividades te gustaría realizar a ti ahora?

Lecturas para el viaje

Observa bien los siguientes dibujos e imagina qué historia cuenta cada uno. Luego, lee el texto y decide a qué grupo de dibujos corresponde.

Soy urbana por naturaleza: no puedo vivir sin el ajetreo diario, sin ver a la gente corriendo por la calle o sin oír el ruido de los coches. Me gusta poder ir al cine a las doce de la noche y cenar a las dos de la mañana. Me divierte leer el periódico en el metro cuando voy a trabajar y no me importa que las tiendas estén siempre llenas de gente. Parece mentira, pero me encanta.

En realidad, yo nací y crecí en un pueblo de la montaña. Los perros, las vacas, los caballos y otros animales fueron mis únicos amigos durante muchos años. Cuando era pequeña, estudiaba en casa, con mi madre, porque en el pueblo no había escuela. El verano era muy agradable, pero los inviernos eran durísimos: a veces nos quedábamos aislados por la nieve durante días y días. Y claro, no podía ni salir de casa. Me aburría muchísimo.

Pero cuando cumplí catorce años, tuve que ir a estudiar fuera del pueblo, a una pequeña ciudad que estaba a unos sesenta kilómetros de mi casa. Aquello me gustó: conocí a mucha gente de mi edad, las calles estaban siempre animadas, en verano como en invierno, había cines, restaurantes, exposiciones, tiendas de todo tipo, ... Por fin estaba en la civilización.

Más tarde, cuando empecé a trabajar, decidí irme a vivir a una ciudad más grande todavía. Y aquí estoy. Me muevo bien en la ciudad. Me siento viva y, además, tengo todo lo que necesito. ¿Qué más puedo pedir? Nunca volveré a mi pueblo, ni en vacaciones.

Comenta con tus compañeros/as las ventajas y los inconvenientes de vivir en una gran ciudad o vivir fuera de ella.

54

Si quieres guerra, la tendrás

1. Como ha dicho Luis Cánovas, la Telecomedia transcurre en Jerez de la Frontera. Con ayuda del siguiente mapa, busca con tu compañero/a información sobre esta ciudad. Luego, comparad o completad vuestros datos con lo que vayáis aprendiendo en esta unidad.

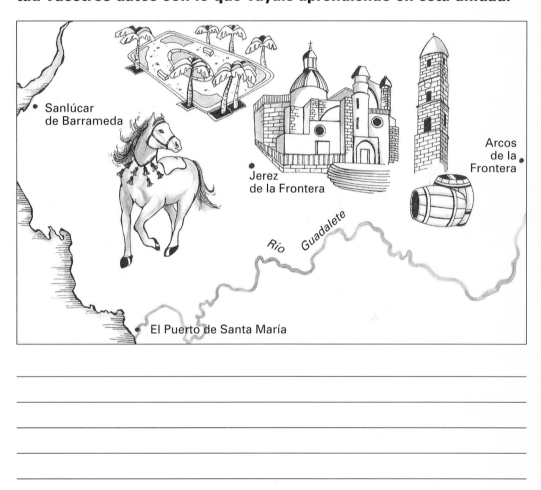

Sanlúcar de Barrameda

Jerez de la Frontera

Arcos de la Frontera

Río Guadalete

El Puerto de Santa María

_____

_____

_____

_____

_____

_____

2. Relaciona.

1. Si no te encuentras bien,

2. Si nieva estos días,

3. Miguel, ordena bien tu cuarto

4. Si le sube la fiebre al niño

5. Si no ha llamado ya,

6. No conseguiremos terminar

7. Si necesitas ayuda,

a) no creo que llame.

b) si no quieres que me enfade.

c) tendremos que llamar al médico.

d) pídemela.

e) no vayas a trabajar hoy.

f) iremos a esquiar el fin de semana.

g) si no empezamos ahora mismo.

DESPUÉS

3. **¿Qué relación hay entre estas parejas?**

1. Carmen/Juan: *Carmen es la mujer de Juan.*

2. Diego/Carmen: _____

3. Rosi/Diego: _____

4. Francisco/Dolores: _____

5. Celoso/Dolores: _____

4. **¿Qué pasará si...**

1. Carmen y Juan se cansan? *Que pararán en Córdoba.*
2. Rosi es buena?
3. Carmen y Juan salen ahora?
4. todo va bien?
5. Carmen y Juan no están muy cansados?
6. Dolores le da las herramientas a Francisco?

5. **Vas a oír una serie de respuestas basadas en información de la Tele-comedia. Haz con tus compañeros/as la pregunta que corresponde a cada una. Utilizad la transcripción de los diálogos si es necesario.**

2 ANTES

6. **Observa bien estos dibujos: todos, menos uno, representan palabras que ha empleado Luis Cánovas en su Presentación. Búscalas en el diccionario y marca el dibujo que sobra.**

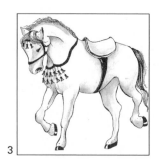

1 2 3 4

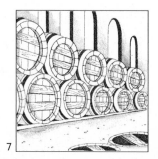

5 6 7 8

ESPUÉS

7. Completa las siguientes frases de la Telecomedia con la información que falta.

1. *Si esa chica entra en mi casa,* yo no quiero estar presente.

2. _____, trata a mis invitados como se merecen.

3. _____, me voy.

4. _____, me voy a dormir.

5. _____, propongo un brindis.

6. _____, vamos a ver mis vinos.

8. Localiza con tu compañero/a todos los sustantivos (sin repetirlos) de esta parte de la Telecomedia. Luego, haz una frase con cada uno.

En España hay cada vez menos colegios que sean sólo de chicas o de chicos.

1. *chica*   5. _____   9. _____

2. _____   6. _____   10. _____

3. _____   7. _____   11. _____

4. _____   8. _____   12. _____

9. Parece claro que entre Francisco, su madre y Dolores hay algún problema. ¿Cuál crees que es? Coméntalo con tus compañeros/as (en la unidad siguiente podréis comprobar vuestras respuestas).

USA TUS NOTAS

Construye frases condicionales como en el modelo.

1. hacer sol/ir *(yo)* a la playa

   Si hace sol, iré a la playa.

2. salir *(yo)* pronto del trabajo/ir *(yo)* a la exposición de fotografía

   _____

3. no querer *(tú)* tener problemas/hacer *(tú)* lo que te digo

   _____

4. no llegar *(yo)* muy cansado/a a casa/llamarte *(yo)* para ir al cine

   _____

5. tener que *(yo)* darme prisa/querer *(yo)* terminar el trabajo hoy

   _____

El **15 de diciembre de 1976**, más o menos un año después de la muerte del general Francisco Franco, el gobierno presidido por Adolfo Suárez sometió a un referéndum nacional la *Ley de Reforma Política*. Dicha Ley sentaba las bases de un nuevo régimen y fue un paso decisivo para la restauración de la democracia en España.

Entre los diversos actos de la campaña llevada a cabo para animar a los españoles a votar en el referéndum, se recuerda aún la canción cuya letra es la siguiente. Léela y coméntala con tus compañeros/as.

Habla, pueblo
REFERÉNDUM NACIONAL. 15 de diciembre de 1976

Si tienes unos ojos para ver
el camino que has de andar.

Si tienes un corazón que te mueve,
unas manos que trabajan
y un ansia de libertad...

Si tienes aliento para hablar...
dime, pueblo: ¿Quién te obliga?
¿Quién puede obligarte a callar?

Habla, pueblo, habla.
Tuyo es el mañana.
Habla y no permitas
que roben tu palabra.

Habla, pueblo, habla.
Habla sin temor.
No dejes que nadie
apague tu voz.

Habla, pueblo, habla...

Habla, pueblo, habla.
Éste es el momento.
No escuches a quien diga
que guardes silencio.

Habla, pueblo, habla.
Habla, pueblo, sí...
No dejes que nadie
decida por ti.

Habla, pueblo, habla...
¡Habla!

Si tienes el deseo de borrar
las huellas del rencor.

Y si quieres afirmar tu voluntad
decidiendo tu destino
con la fuerza de tu voz...

Si tienes aliento para hablar...
Dime, pueblo: ¿Quién te obliga?
¿Quién puede obligarte a callar?

Habla, pueblo, habla.
Etc.

Música original y arreglos: *Álvaro Nieto.*
Letra: *L. Figuerola, J. Laiglesia, M. Cuadrado.*

Unidad 55 — Desde aquel día

1. Contesta a las siguientes preguntas.

1. ¿A qué hora empieza tu clase de español?
2. ¿Cuánto dura?
3. Entonces, ¿cuánto falta para que termine?
4. ¿Cuánto tardas normalmente en hacer los ejercicios? ¿Mucho, poco, ...?
5. ¿Qué has hecho justo antes de venir a clase?
6. ¿Y qué vas a hacer desde que salgas de clase hasta que te acuestes?

2. Aquí tienes parte de los diálogos de la Telecomedia. Complétalos con las palabras del recuadro y comprueba tus respuestas cuando veas el vídeo. No olvides poner los verbos en su forma adecuada.

hasta	desde	hace	tardar	durar

CARMEN: Entonces, ¿_desde_ cuándo os conocéis?

DOLORES: ~~Hasta~~ _desde_ siempre. Cuando éramos niños jugábamos juntos. Todo iba muy bien, _hasta_ el día de los caballos.

CARMEN: ¿El día de los caballos?

DOLORES: Sí. _hace_ muchos años alguien se olvidó de cerrar la puerta y los caballos de escaparon.

CARMEN: ¿Y qué pasó? ¿Se perdieron?

DOLORES: No. Se perdió el vino de todo el año porque los caballos entraron en todas partes. La madre de Francisco no se ha olvidado todavía.

CARMEN: ¿Ah, sí?

DOLORES: Sí. _Desde_ aquel día no quiere hablar con nadie de mi familia. Y menos conmigo.

CARMEN: ¿Y Francisco y tú?

DOLORES: ¿Qué?

CARMEN: ¿_Hasta_ cuándo vais a seguir así?

DOLORES: No lo sé. Esto empezó _hace_ diez años y puede _durar_ otros diez.

CARMEN: Ha _durado_ diez años, pero puede _tardar_ dos horas en terminar. Tenéis que hablar.

DOLORES: Pero, ¿por qué?

CARMEN: Porque Francisco te quiere y tú le quieres a él. Eso lo ve todo el mundo. Yo he _tardado_ cinco minutos en darme cuenta.

DESPUÉS

3. **Responde a estas preguntas relacionadas con la Telecomedia.**

1. ¿Cuánto tarda el vino en ser un buen vino? _____

2. ¿Cuánto ha durado la pelea entre Dolores y Francisco? _____

3. ¿Y cuánto puede tardar en terminar? _____

4. ¿Cuánto tiempo ha tardado Carmen en darse cuenta de que Dolores y Francisco se quieren? _____

5. ¿Cuánto tardó Dolores en llenar el primer vaso? _____

4. **Haz a tu compañero/a las siguientes preguntas sobre la Telecomedia.**

A	B
¿Desde cuándo... 1. se conocen Francisco y Dolores? 2. no quiere hablar con Dolores la madre de Francisco?	¿Hasta cuándo... 3. fue todo bien entre Dolores y Francisco? 4. van a seguir así Dolores y Francisco?

2 ANTES

5. **Las palabras del recuadro pertenecen a la Presentación. Escríbelas junto a la definición que les corresponde.**

equino/a	monje	crianza	antecedente	fundación	vaquero/a
doma	vestuario	compás	armonioso/a	matiz	

1. *vestuario s. m.* Los trajes que se usan en el teatro, en el cine o en otros espectáculos.

2. _____ *s. m.* Hecho, dicho o circunstancia anterior que explica o determina otros posteriores en relación con ella.

3. _____ *s. f.* Acción de fundar: crear una ciudad, institución, empresa.

4. _____ *s. m.* Rasgo o diferencia pequeña.

5. _____ *adj.* Del caballo o relacionado con él.

6. _____ *s. m.* Ritmo o cadencia de una pieza musical.

7. _____ *s. m.* Hombre que pertenece a una orden religiosa y vive sujeto a una regla común en un monasterio.

8. _____ *adj.* Relativo a los pastores de ganado bovino.

9. _____ *s. f.* Acción de criar: cuidar animales o plantas y hacer que se reproduzcan.

10. _____ *adj.* Que es agradable, que combina adecuadamente varios elementos.

11. _____ *s. f.* Acto de domar: hacer manso a un animal para que obedezca al hombre.

6. Escucha y lee la siguiente transcripción de la Presentación, que, gracias al ejercicio anterior, te será más fácil entender. A continuación, subraya en el texto todas las palabras relacionadas con el arte y el espectáculo.

Jerez mantiene una importante tradición equina desde que en el siglo XVIII los monjes de La Cartuja se dedicaron a la selección y crianza de una raza única en el mundo: los famosos caballos andaluces. Aunque los antecedentes históricos de lo que hoy es la Real Escuela Andaluza de Arte Ecuestre se remontan al siglo XVII, su fundación definitiva tiene lugar en 1973. Cómo bailan los caballos andaluces es un auténtico ballet ecuestre montado sobre coreografía extraída de la doma clásica y vaquera, y vestuario a la usanza del siglo XVII. Al compás sugestivo de la música, jinetes y caballos andaluces ejecutan una armoniosa danza llena de matices.

ESPUÉS

7. **¿A qué momentos de la Telecomedia corresponden estas frases?**

1. *Juan y Carmen están esperando a Dolores.*

1. ¡Desde las ocho de la mañana aquí, sin hacer nada!
2. No tardes mucho.
3. ¡Lo ha encontrado!
4. Fui yo...
5. ¡Ay! El amor...

USA TUS NOTAS

¿Qué sabes de los siguientes acontecimientos de la historia de España? Relaciona cada uno con el período de tiempo correspondiente y busca, con tu compañero/a, más información sobre los mismos.

La Guerra Civil	desde 1931 hasta 1939
La Reconquista	desde 1701 hasta 1715
La Guerra de la Independencia	desde 1898 hasta 1898
La Segunda República	desde 1936 hasta 1939
La Guerra de Sucesión	desde 711 hasta 1492
La vuelta al mundo	desde 1975 hasta hoy
La Guerra hispano-norteamericana	desde 1808 hasta 1814
El reinado de Juan Carlos I	desde 1519 hasta 1522

Lecturas para el viaje

Muchas expresiones tienen su origen en hechos o costumbres del pasado. Lee el siguiente texto y adivina con tus compañeros/as el sentido actual de cada expresión.

Desde entonces se dice…

Armarse la de San Quintín

El 10 de agosto de 1557, día de San Lorenzo, tuvo lugar la famosa batalla entre españoles y franceses en la plaza de San Quintín, en Francia, en la que el ejército francés fue vencido por el español. En conmemoración de esta victoria, Felipe II hizo construir el monasterio de San Lorenzo de El Escorial, una de las maravillas del mundo.

¡Que te den morcilla!

En épocas de hidrofobia, las autoridades ordenaban dar muerte a los perros callejeros dándoles de comer morcillas envenenadas con estricnina. Esta costumbre duró hasta el año 1891, en que aparecieron por primera vez en las calles de Madrid los *laceros*, encargados de recoger a los perros vagabundos.

Salvarse por los pelos

En 1809, se ordenó a los miembros de la Marina que se cortasen el pelo. Esta orden hizo que varios marineros escribieran una carta, llena de quejas, en la que decían que el pelo largo era muy útil, porque les podía servir para engancharse o agarrarse en el caso de estar en peligro de ahogarse en el mar. La orden se retiró.

FERNANDO DÍAZ-PLAJA,
La vida española en el siglo XIX,
Madrid, 1952.

¡Vete a la porra!

Esta frase procede de la expresión militar de castigo ''¡Vaya usted a la porra, señor soldado!'' y tiene su origen en el enorme bastón que llevaba el tambor mayor de los antiguos regimientos. Este bastón era conocido con el nombre de *porra* y, clavado en cualquier lugar del campamento militar, marcaba el sitio al que tenían que ir los soldados durante el descanso para cumplir su castigo por las pequeñas faltas cometidas.

VICENTE VEGA,
*Diccionario ilustrado
de frases célebres y citas literarias*,
Ed. Gustavo Gili, Barcelona, 1952.

Poner una pica en Flandes

En tiempos de Felipe IV era muy difícil encontrar reclutas españoles que quisieran alistarse y tomar la pica (como ahora se toma el fusil) para ir a servir en Flandes, ya que los mozos no se alistaban voluntariamente y huían del servicio militar, utilizando todo tipo de pretextos.

JOAQUÍN BASTÚS,
*La Sabiduría de las Naciones
o Los Evangelios abreviados*,
1ª serie, Barcelona, 1862.

¡A buena hora, mangas verdes!

El origen de esta frase se debe a que en tiempo de los cuadrilleros de la Santa Hermandad, como casi nunca llegaban a tiempo para capturar a los criminales, los crímenes quedaban sin castigo. Los cuadrilleros vestían un uniforme de mangas verdes. La Santa Hermandad, instituida en la Edad Media, era un tribunal encargado de juzgar y castigar los crímenes que se cometían sobre todo fuera de las ciudades y los pueblos por los salteadores de caminos. Se los llamaba *cuadrilleros* porque actuaban en grupos de cuatro hombres.

Textos adaptados de JOSÉ M. IRIBARREN, *El porqué de los dichos,* Ed. Aguilar, 1974.

Unidad 56 Sigue soñando, Diego

1. Relaciona los siguientes verbos con el dibujo que les corresponde y completa las frases.

– Acaba de   – Ha dejado de   – No volverá a   – Sigue

1. _____ llover.

2. _____ saltarse un semáforo.

3. _____ durmiendo.

4. _____ tomar pasteles.

2. Vuelve a escuchar la Telecomedia y completa el siguiente diálogo.

RAMÓN: _____ hablar con el director.

CARMEN: ¿Y cuándo _____?

RAMÓN: Dentro de media hora. ¿_____ poner las cámaras?

CARMEN: ¿Cuándo vas a _____ fumar?

RAMÓN: Lo _____, pero no es fácil.

DIEGO: Shhhh... ¡_____ hablar, por favor! Es que _____ empezar el aria de Aída. _____ comprarme el disco. ¡Me encanta esta ópera!

CARMEN: Juan llega tarde _____. Mira, ahi viene.

JUAN: _____ escribir el guión sobre el teatro de Mérida. Toma, léelo.

DIEGO: Luego. Ahora voy a _____ escuchando.

3. **Escucha y completa el siguiente texto sobre Mérida. Para ayudarte, tienes ya escrita la primera letra de las palabras que faltan.**

Mérida se levanta sobre las r_____ de la antigua Emerita Augusta, ciudad fundada por los romanos en el año 25 a. de C. Estas ruinas romanas son el gran orgullo de Mérida y su principal atracción, tanto para turistas como para a_____. Entre sus m_____ más importantes están el T_____ y el A_____ romanos. No lejos de los t_____ está el M_____ Arqueológico, que contiene la mayor colección de objetos romanos conservados fuera de Italia y es uno de los más importantes del mundo. Otro de los monumentos más impresionantes de Mérida es el A_____ de Trajano, que mide 15 por 9 metros y que destaca por encima de los e_____ cercanos. También hay que mencionar el C_____ Máximo, el a_____ de los Milagros y el p_____ sobre el río Guadiana.

4. **Mérida no es la única ciudad española que ha heredado su nombre de los romanos. Aquí tienes una lista de nombres con los que los romanos llamaban a otras ciudades de España; relaciona cada uno con el nombre actual. Luego, busca las ciudades en el mapa que hay al final del Cuaderno.**

1. Carthago Nova
2. Gades
3. Tarraco
4. Malaca
5. Onuba
6. Lucus Augusti
7. Caesar Augusta
8. Gerunda
9. Salmantica
10. Toletum

a) Cádiz
b) Zaragoza
c) Salamanca
d) Toledo
e) Málaga
f) Gerona
g) Lugo
h) Huelva
i) Cartagena
j) Tarragona

5. **Ahora, busca en un diccionario cómo se llaman los habitantes de las siguientes ciudades. Observarás algo muy interesante.**

1. Cádiz: _____
2. Tarragona: _____
3. Huelva: _____

4. Lugo: _____
5. Gerona: _____
6. Salamanca: _____

ESPUÉS

6. **¿Verdadero (V) o falso (F)?**

Diego sueña que...

1. es un gran cantante de ópera. ☐
2. Carmen se muerde las uñas. ☐
3. rompe una copa con la mano. ☐
4. a Carmen no le gusta cómo canta. ☐

7. **Basándote en la información de la Telecomedia haz cuatro frases lo más completas posible con cada uno de los verbos del recuadro.**

acabar de	seguir	dejar de	volver a

1. _____

_____

2. _____

_____

3. _____

_____

4. _____

_____

USA TUS NOTAS Las siguientes frases pertenecen al diálogo que vas a oír. Escucha y complétalas.

1. Yo también _____ llegar.

2. Su hijo pequeño _____ ponerse enfermo y no quiere dejarlo solo.

3. Espera, perdona. Antes de que _____ hablando, ¿qué vas a tomar?

4. Pues mis hijos bien. Javier _____ empezar la mili y Sonia termina la universidad este año. Piensa _____ buscar un trabajo enseguida.

5. En mi empresa _____ necesitando gente.

6. No _____ pensar que no va a encontrar nada.

7. ¿Por qué no _____ de tomar café y vamos a tu casa a hablarle de ese puesto que ofrecen en mi empresa?

8. Ya _____ quedar otro día para hablar de nuestras cosas.

Has visto en la Telecomedia que en el teatro de Mérida se canta ópera desde hace unos años. Pero son otros teatros los verdaderos guardianes de este arte. Lee la siguiente información sobre algunos de los más famosos teatros de ópera de Europa.

Nombre: SCALA DE MILÁN
Ciudad: Milán
Construcción: 1778
Estilo: neoclásico
Restauración: 1946

Así llamado por estar construido sobre las ruinas de la iglesia de Santa María della Scala, la Scala de Milán tiene uno de los públicos más exigentes del mundo: los llamados "loggionisti" –el público del "gallinero"– son efectivamente muy duros y severos juzgando, pero un triunfo en la Scala supone una consagración mundial. La Scala es más pequeño que el Metropolitan Opera House de Nueva York, pero es uno de los mayores teatros de ópera de Europa que conservan la forma tradicional de herradura.

Nombre: LICEU
Ciudad: Barcelona
Construcción: 1847
Estilo: neorrenacentista
Restauraciones: 1861/próximamente

El Gran Teatro del Liceu, con cinco pisos, fue en su día el teatro más espacioso del mundo. En 1861 sufrió un incendio y fue reconstruido en el tiempo récord de un año. En 1893, un atentado anarquista durante una de las representaciones (*Guillermo Tell*) provocó veinte muertos. El Liceu, cuya acústica han alabado grandes cantantes de ópera como Caruso o la Callas, estaba pendiente, antes de su reciente incendio (31 de enero de 1994), de una gran ampliación. Se trata ahora, de volverlo a levantar.

Nombre: WIENER STAATSOPER
Ciudad: Viena
Construcción: 1869
Estilo: Historicista
Restauración: 1955

Fue el emperador Francisco José I quien ordenó la demolición de las murallas que rodeaban la ciudad e hizo posible la construcción de uno de los dos teatros de ópera de que dispone Viena. El edificio fue inaugurado en 1869 con *Don Juan* de Mozart. La destrucción del teatro por la aviación norteamericana, en los últimos días de la Segunda Guerra Mundial, fue considerada una catástrofe nacional. Gracias a la reconstrucción, la Staatsoper pudo mejorar su seguridad interna y dotarse de una tecnología más moderna.

Textos adaptados de *La Vanguardia*, 6/02/94.

Unidad 57 — Rellene usted este impreso

ANTES

1. Lee atentamente los siguientes textos. Luego, relaciona cada uno con el tipo de escrito que le corresponde.

1. "Lugo 2/08/94. Llego mañana. 11.15 estación Chamartín. Espero. Pedro."

2. "Vendo piso céntrico. Zona Ensanche. 120 m². 4 habitaciones, salón-comedor, terraza. 15.000.000. Teléfono: 345 33 78."

3. "Luis, esta noche llegaré tarde. El primer plato de la cena está en el microondas. De segundo, haz lo que quieras para los dos. Besos, Manuela."

4. "Fecha: 2/04/94. Hora: 10.05. Sr.: Veriz. Mensaje: ha llamado el Sr. Stark. La reunión con DESDA, S.A., se ha anulado. Volverá a llamar más tarde."

5. "Concierto de GATOS PARDOS. Sala Zelis. Viernes 24 de mayo. A las 22.00."

a) aviso
b) nota
c) cartel
d) telegrama
e) anuncio

2. ¿En qué tipo de escritos puedes encontrar las siguientes palabras?

– querido/a   – portador   – besos
– no aparcar   – atentamente   – teléfono
– nombre   – estimado/a   – azúcar

ESPUÉS

3. Éstas son las notas que Carmen y Juan han pegado en la nevera. Pero están incompletas. Complétalas e inventa otra posible nota.

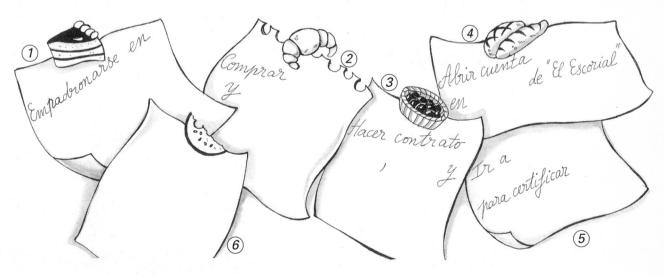

① Empadronarse en
Comprar y
②
③ Hacer contrato y
④ Abrir cuenta en
de "El Escorial"
⑤ Ir a para certificar
⑥

4. ¿Cómo se reparten el trabajo Carmen y Juan?

5. **Marca cuál de los siguientes anuncios ha puesto Carmen. Luego, escribe tú uno.**

1. ''Se alquila habitación para estudiantes.''
2. ''Doy clases particulares de inglés.''
3. ''Se necesita asistenta.''
4. ''Vendo coche en buen estado.''

 ANTES

6. **Estás en El Escorial desde hace dos semanas, asistiendo a los cursos de la Universidad de verano. Escribe una postal a un/a amigo/a contándole cómo lo estás pasando.**

DESPUÉS

7. **Di dónde han aparecido estos carteles en la Telecomedia. Luego, escribe un posible texto para el último cartel.**

1 Información	3 Tirar	5 Prohibido hacer fotos
2 No fumar	4 Silencio	6

8. En el vídeo se ha hablado tanto del pueblo de San Lorenzo de El Escorial, como del Monasterio. ¿A cuál de estos lugares se refieren los siguientes datos? Marca P (pueblo) o M (monasterio).

1. "único teatro Barroco de España" ☐
2. "una de las maravillas del mundo" ☐
3. "biblioteca" ☐
4. "calles como en siglos pasados" ☐
5. "Universidad de verano" ☐
6. "retablo de Herrera" ☐

9. Imagina que tú eres el chico que ha recibido la carta de su novia y escribe el telegrama que le va a enviar.

SE RUEGA ESCRIBA CON LETRAS MAYÚSCULAS O CARACTERES DE IMPRENTA					
INS. O NÚMERO DE MARCACIÓN	S E R I A L	N.º DE ORIGEN	T E L E G R A M A		INDICACIONES TRANSMISIÓN
	LÍNEA PILOTO				
OFICINA DE ORIGEN		PALABRAS	DÍA	HORA	IMPORTE EN PESETAS

INDICACIONES: DESTINATARIO: ...... SEÑAS: ...... TELÉFONO: ...... TÉLEX: ...... DESTINO: ......

TEXTO: ......

SEÑAS DEL EXPEDIDOR NOMBRE: ...... TFNO.: ...... DOMICILIO: ...... POBLACIÓN: ......

USA TUS NOTAS

Contesta a las siguientes preguntas sobre el "Tome nota".

1. ¿Quién ha escrito el telegrama y cuándo llega?
2. ¿Dónde está el aeropuerto de Barajas?
3. ¿Qué le ha dejado Lucía a Emilio?
4. ¿Qué le dice Lucía a Emilio y cómo se despide?
5. ¿Cómo se llama la persona a quien va dirigida la postal?
6. ¿Qué monumento aparece en la postal y dónde está?
7. En la carta se hace referencia a otra anterior: ¿de qué fecha era?
8. ¿De qué tipo de carta se trata, formal o informal?

Lecturas para el viaje

Lee y rellena el siguiente impreso para inscribirte en los cursos de español de la academia International House, en Barcelona.

Barcelona

HOJA DE INSCRIPCIÓN - CURSOS DE ESPAÑOL

Apellido: _____ (Sr./Sra./Srta.) Nombre: _____

Dirección: _____

Ciudad: _____ País: _____ Nacionalidad: _____

Teléfono: _____ Fecha de nacimiento: _____ Profesión: _____

Por favor reserve una plaza en el/los siguiente(s) curso(s):

a) Curso Intensivo en grupo (4 horas/día) desde _____ al _____

b) Clases privadas adicionales: _____ horas por día desde _____ al _____

c) Clases para Ejecutivos (clases privadas): _____ horas por día desde _____ al _____

Por favor reserve también mi alojamiento:

a) Con familia española   – Habitación y desayuno/Media pensión

b) En residencia de estudiantes   – Habitación y desayuno/Media pensión
                                        (habitación individual/compartida)

c) Con familia española ejecutiva   – Habitación y desayuno/Media pensión

d) En un Hotel de _____ estrellas   – Habitación y desayuno/Media pensión

desde _____ hasta _____   Fumador/No fumador

Llegaré a Barcelona a las _____ horas (aproximadamente).

Otras observaciones: _____

_____

Nivel aproximado de español: Principiante/Elemental/Intermedio bajo/Intermedio alto/Avanzado

Adjunto/He enviado 15.000 ptas. a través de un cheque/transferencia bancaria como depósito para reservar mi plaza.

He conocido International House a través de _____

Fecha: _____ Firma: _____

Unidad 58 — ¡Qué pena que seas tan aburrido!

ANTES

1. Lee los siguientes titulares, buscando las palabras que no conozcas en un diccionario, y comenta las noticias con tus compañeros/as. Utilizad las expresiones aprendidas en el Libro.

1. "Decenas de chinos eran explotados en Madrid en talleres infrahumanos."

2. "La entrada a los museos costará 450 pesetas y será gratuita el sábado o el domingo."

3. "La mayoría de los tubos en uso de la central nuclear de Zorita tiene grietas."

4. "(La empresa) Santana hace oficial la supresión de los 1.614 puestos de trabajo."

5. "La cultura vuelve a la televisión: TVE, Tele 5 y productores privados preparan programas literarios para contrarrestar la telebasura."

El País, 19/03/94.

2. Elige alguno de los temas propuestos, u otro que te interese más, y da tu opinión sobre el mismo. Luego, lee tu texto al resto de la clase para hacer un pequeño debate con tus compañeros/as.

- la telebasura
- vivienda: ¿comprar o alquilar?
- la pena de muerte
- la mujer en el trabajo
- las relaciones entre padres e hijos

- la ecología
- contratos laborales: ¿temporales o fijos?
- la "prensa del corazón"
- la educación, base de la sociedad
- la forma de gobierno ideal

_____

_____

_____

_____

_____

_____

_____

_____

_____

ESPUÉS

3. Relaciona según la información de la Telecomedia.

1. JUAN: No me gusta que
2. DIEGO: Me encanta
3. JUAN: Yo prefiero que
4. CARMEN: Es muy divertido
5. CARMEN: Sí, pero me parece raro que
6. PORTORRIQUEÑA ¡Nos gustaría tanto
7. DIEGO: ¿Qué os ha parecido

a) toquen aquí, en la plaza.
b) se case.
c) la música clásica.
d) conocer esa discoteca!
e) la cena?
f) me digan una cosa y hagan otra.
g) verlo hablar con chicas.

4. Observa este plano del barrio viejo de Cáceres, donde se señalan varios edificios importantes. Luego, escucha y completa el texto.

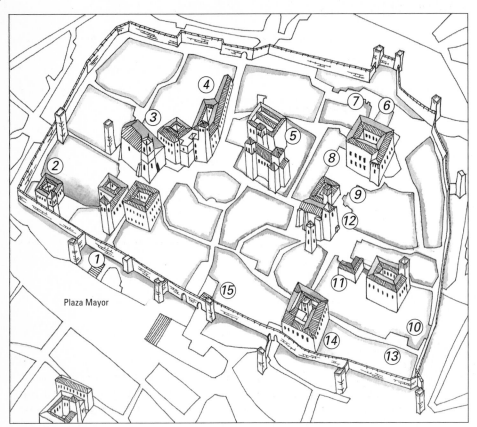

Plaza Mayor

LEYENDA DEL PLANO
1. Arco de la Estrella
2. Palacio Toledo-Moctezuma
3. Iglesia de Santa María
4. Casa de los Golfines de Abajo
5. Convento de la Compañía de Jesús
6. Casa de las Veletas
7. Casa de los Caballos
8. Torre de las Cigüeñas
9. Convento de San Pablo
10. Hospital de los Caballeros
11. Iglesia de San Mateo
12. Casa de los Solís o del Sol
13. Palacio de los Golfines de Arriba
14. Casa Mudéjar
15. Casa del Mono

La ciudad vieja de Cáceres, declarada monumento nacional, está separada de la ciudad nueva por murallas y torres bien conservadas. Sus calles y edificios medievales han servido de decorado a películas como Romeo y Julieta *o* La Celestina. *La mejor manera de entrar en la parte vieja es subir las escaleras del _____, puerta abierta entre el presente y el pasado. En la Edad Media fueron frecuentes las guerras entre los caballeros de la ciudad y cada casa noble tenía su propia torre defensiva; de las pocas que quedan hoy, hay que destacar la _____. Enfrente se levanta la _____, en cuyo interior está el Museo Provincial. A la izquierda del museo se encuentra el _____, habitado por monjas que venden dulces en la entrada. Cáceres fue también ciudad de conquistadores; muchos de ellos construyeron hermosos palacios, como la _____, la _____ o la _____, familia de caballeros franceses que vino a Cáceres a ayudar en la guerra contra los musulmanes. Pero hay otras muchas cosas que ver en la ciudad medieval de Cáceres...*

Texto adaptado de *España*, col. Los libros del viajero, Ed. El País/Aguilar, 1988.

DESPUÉS

5. Contesta a estas preguntas relacionadas con la Telecomedia.

1. ¿Qué le parece muy bien a Juan?

_____

2. ¿Qué le parece muy mal a la joven?

_____

3. ¿Qué le pregunta Diego a Carmen?

_____

4. Según Juan, ¿qué es muy desagradable a estas horas?

_____

5. Y según tú, ¿qué le parece Diego a Juan?

_____

6. Practica con tu compañero/a.

Alumno/a A:

Has ido al cine con un/a amigo/a a ver el estreno de una película a la que se le ha dado mucha publicidad. A la salida, comentas la película con tu amigo/a; a ti te ha gustado mucho y tienes muchas cosas buenas que opinar sobre la película.

Alumno/a B:

Has ido al cine con un/a amigo/a a ver el estreno de una película a la que se le ha dado mucha publicidad. A la salida, comentas la película con tu amigo/a; a ti no te ha gustado nada y tienes muchas cosas malas que opinar sobre la película.

USA TUS NOTAS

Éstos son algunos de los personajes que has conocido en *Viaje al Español*. Elige a dos de ellos y da tu opinión sobre los mismos.

- Carmen
- Juan
- Óscar
- Guadalupe

- María
- David
- Diego
- Rosi

- Ramón
- Charo
- Jesús
- Ismael

- Dolores
- Francisco
- Ángel
- Isabel

¿Cuál de estos personajes crees que se parece más a ti, por sus opiniones o su forma de pensar?

Lecturas para el viaje

Hay gente que trabaja para vivir, y otra que vive para trabajar. ¿A qué tipo de gente perteneces tú? Contesta al siguiente cuestionario marcando la respuesta que más te convenga, y lo descubrirás.

¿Eres adicto/a al trabajo?

1. ¿Te levantas siempre muy pronto, incluso cuando te has acostado tarde?
Siempre (2). A veces (1). Nunca (0).

2. ¿Eres generalmente el/la primero/a en llegar a la oficina?
Siempre (2). A veces (1). Nunca (0).

3. ¿Trabajas mientras comes?
A menudo (2). A veces (1). Nunca (0).

4. ¿Llamas por teléfono a tus compañeros/as de la oficina por la noche o durante los fines de semana para hablar de problemas del trabajo?
A menudo (2). Cuando lo necesito (1). Nunca (0).

5. ¿Crees que es conveniente hacer listas de todas las cosas que hay que hacer durante el día e intentar terminarlas todas?
Sí (2). A veces (1). No (0).

6. ¿Piensas que es muy díficil "no hacer nada"?
Desde luego (2). Depende (1). No (0).

7. ¿Se ha quejado alguna vez tu familia de las horas que trabajas?
A menudo (2). De vez en cuando (1). Nunca (0).

8. ¿Te parece que eres enérgico/a y competitivo/a?
Sí (2). No (0).

9. ¿Puedes trabajar en cualquier sitio y a cualquier hora?
Casi (2). Depende (1). No (0).

10. ¿Crees que las vacaciones son una pérdida de tiempo?
Normalmente (2). A veces (1). No (0).

11. ¿Te preocupa la jubilación?
Muchísimo (2). Un poco (1). No (0).

12. ¿Alguna vez has anulado una fiesta o reunión con amigos/as a causa del trabajo?
A menudo (2). De vez en cuando (1). No (0).

13. ¿Lees cosas que no están relacionadas con tu trabajo cuando tienes tiempo libre?
Nunca (2). A veces (1). Normalmente (0).

14. ¿No crees que debes tomarte las cosas con más calma?
No (2). Sí (0).

15. ¿Alguna vez te has negado a ir a una fiesta o reunión con amigos/as a causa del trabajo?
A menudo (2). A veces (1). Nunca (0).

16. ¿Trabajas en casa por las noches?
A menudo (2). A veces (1). Nunca (0).

17. ¿Alguna vez vas a la oficina el sábado o el domingo?
Normalmente (2). De vez en cuando (1). Nunca (0).

18. ¿Prefieres hacer tú los trabajos importantes o que los haga otra persona?
Sí (2). No (0).

19. ¿Piensas que la mayoría de la gente es vaga?
Sí (2). No (0).

20. En tu opinión, ¿es divertido trabajar?
Sí (2). No (0).

PUNTOS

35-40 ¡Tranquilo/a! ¿De qué estás huyendo? No es posible que el trabajo sea tan importante. ¡Eres un/a verdadero/a adicto/a al trabajo!

28-34 Trabajas mucho. ¿Tienes quizás una profesión de gran competitividad y presión?

21-27 Has conseguido un equilibrio saludable entre el trabajo y el placer.

11-20 Desde luego te tomas las cosas con mucha calma. Sin embargo, recuerda: "Al que madruga, Dios le ayuda".

1-10 ¡La verdad es que es extrañísimo que no te hayan despedido todavía! Parece que no te interesa mucho trabajar. ¿Enemigo/a del trabajo, quizás?

¿Qué opinas de la gente adicta al trabajo? ¿Piensas que la causa de este problema está en la persona o en la sociedad?

Unidad 59 ¡Así que estás embarazada!

ANTES

1. Escucha y completa el siguiente texto.

El cochinillo es la cría del _____ y sólo se alimenta de la _____ que mama. En Segovia, el cochinillo asado es una _____ muy típica.

Uno de los _____ segovianos más famosos por el cochinillo que sirve es el Mesón Cándido. En algunos de estos restaurantes también es _____ partir el cochinillo con un _____ porque la carne está muy tierna. En algunas zonas de España, el cochinillo es la comida del día de _____ o de aquellos días en los que se celebra algo especial.

2. Escucha atentamente y numera las frases del siguiente diálogo según las vayas oyendo.

☐ RAMÓN: Porque todavía no me has dicho si vamos a ir a Segovia o no el domingo. Te lo he preguntado tres veces y aún no me has contestado.

☐ OLGA: ¿Estás seguro? ¿No te gustaría comer cochinillo en el Mesón Cándido, por ejemplo?

☐ OLGA: Claro que sí.

☐ RAMÓN: Yo sí, y además me gustaría salir pronto de casa para pasar allí todo el día: quiero ver bien la ciudad, y también me gustaría ir a La Granja a visitar el palacio.

☐ OLGA: ¿Qué te pasa?

☐ RAMÓN: Estupendo. Seguro que lo pasamos muy bien.

☐ OLGA: Bueno, pues venga. El domingo vamos a Segovia. Podemos ir al palacio por la mañana y después podemos comer en un restaurante de la ciudad.

☐ OLGA: ¿Por qué?

☐ RAMÓN: O también podemos llevarnos unos bocadillos. No hace falta ir a un restaurante.

☐ RAMÓN: Que estoy enfadado contigo.

☐ OLGA: Hace mucho tiempo que no salimos de Madrid así que... un día es un día. Mira, nos levantamos, vamos al Palacio de la Granja y damos una vuelta por los jardines; después nos vamos a comer un buen cochinillo asado y por la tarde vemos la ciudad: el acueducto, la plaza, ... ¿vale? Mañana mismo llamo al Mesón y reservo una mesa para el domingo.

☐ RAMÓN: Hombre, sí, claro, pero es muy caro...

☐ OLGA: Es que no sé si ir o no. ¿Tú quieres que vayamos?

82

DESPUÉS

3. **Aquí tienes la Telecomedia dividida en seis situaciones. Resume lo que ocurre en cada una utilizando las expresiones propuestas.**

1. Óscar y Juan están en el jardín de su casa. — invitar a

*Juan **invita a** Guadalupe y a Óscar a ir a La Granja con él y con Carmen.*

2. Carmen y Juan esperan a sus amigos en el coche. — estar a solas

_____

3. Óscar y Carmen pasean por los jardines del Palacio. — dar una noticia

_____

4. Juan y Guadalupe juegan en los jardines de La Granja. — hacer una foto

_____

5. Guadalupe y Óscar hablan. — estar de buen humor

_____

6. Guadalupe y Carmen están sentadas en un banco. — tener hambre

_____

ANTES

4. **Responde a estas preguntas relacionadas con la Presentación.**

1. ¿Qué rey mandó construir el Palacio de La Granja? _____

2. ¿Cuándo lo mandó construir? _____

3. ¿De qué estilo es? _____

4. ¿Qué dos cosas lo han hecho famoso? _____

5. ¿Qué rey decidió pasar allí los veranos? _____

6. ¿En qué siglos fue especialmente importante el Palacio? _____

7. ¿Se puede visitar? _____

5. **¿Qué pasará en la segunda parte de la Telecomedia? Marca la frase que creas correcta y comprueba tu respuesta cuando veas el vídeo.**

1. Carmen le ha dicho a Óscar que está embarazada, así que Juan se enfadará con ella porque no se lo ha dicho a él primero.
2. A Carmen le gustaría comer cochinillo asado, así que Juan irá a Segovia a comprar uno para ella y sus amigos.
3. Carmen quiere estar a solas con Juan, así que Óscar y Guadalupe volverán a Madrid sin decirles nada a sus amigos.
4. Carmen no quiere darle la noticia a Juan hasta estar a solas con él, así que Guadalupe se lo dice.

ESPUÉS

6. Lee y completa este resumen de la Telecomedia. Corrígelo con el de tu compañero/a.

Alumno/a A:

Juan quiere coger el coche _____ ir a Segovia ___ buscar un cochinillo _____

Carmen tiene un antojo. ¿Qué ____ pasa a Carmen? Que está embarazada, así _____ no es extraño que tenga un antojo como ése. ¿Y por _____ hace Juan todo eso?

Bueno, es _____ Juan está muy contento _____ va a ser padre.

Alumno/a B:

Juan quiere coger el coche _____ para a Segovia _____ un cochinillo porque Carmen tiene un antojo. ¿_____ le pasa a Carmen? _____ está embarazada, _____ que no es extraño que tenga un antojo como ése. ¿Y _____ qué hace Juan todo eso? Bueno, _____ que Juan está muy contento porque va a ser padre.

7. ¿Cuál de estos monumentos no pertenece a la provincia de Segovia?

1

2

3

USA TUS NOTAS

Inventa con tu compañero/a qué creéis que le pasa a cada personaje, por qué está así y qué va a hacer. Observad el modelo.

1

2

3

4

1. *Que están muy enamorados. Es que hace tres horas que no se han visto. Así que se van a dar un beso.*

¿Por qué...

... los toreros llevan coleta?

Parece ser que los primeros toreros envolvían su pelo largo con un pañuelo o un lazo de seda para protegerse la nuca en las caídas o golpes que pudieran sufrir durante la corrida. En 1805, la coleta de pelo natural se sustituyó por el postizo que hoy conocemos. Desde entonces, esta especie de moño se ha convertido, simplemente, en el símbolo de la actividad profesional del torero.

... cuando alguien estornuda decimos *Jesús*?

Se dice que durante la epidemia de peste que hubo en Roma en el año 591, los enfermos morían estornudando, así que, cuando la gente oía a alguien estornudar, invocaba a Dios para apartar el peligro, diciendo *¡Dios te bendiga!*, que más tarde se simplificó diciendo *¡Salud!, ¡Jesús!* o expresiones parecidas.

... se enfría el agua de un botijo?

Los botijos están hechos de barro arcilloso que da a sus paredes una cierta porosidad. El agua se filtra por estos poros y, una vez en contacto con el medio ambiente, se evapora. Para evaporarse, el agua necesita calor. Una parte de ese calor se la da el entorno, pero no es suficiente, así que el agua del botijo tiene que dar, ella también, parte de su propio calor.

... tomamos las uvas en Nochevieja?

La tradición de tomar las doce uvas –llamadas también *las uvas de la suerte*– el 31 de diciembre a media noche se remonta sólo a principios de nuestro siglo. Esta costumbre, exclusiva de España, no se debió a motivos religiosos o culturales, sino a intereses económicos: en el año 1909 se produjeron demasiadas uvas, así que los cosecheros, para eliminar ese excedente, inventaron la costumbre de tomar las uvas de la suerte la última noche del año.

... saludamos dando la mano derecha?

Antiguamente, los hombres muchas veces llevaban un arma para atacar o defenderse de sus enemigos. Normalmente utilizaban el arma con la mano derecha, así que, para demostrar que no llevaban armas y que no iban a atacar, mostraban la mano abierta en señal de paz y de amistad. Esta costumbre de mostrar la mano abierta y estrechar la de la otra persona se ha mantenido en muchos países y hoy día es una de las formas más habituales de saludarse, sobre todo entre hombres.

Textos adaptados del suplemento de la revista *MUY INTERESANTE*, nº. 151, diciembre 1993.

¿Conocías ya alguna de estas explicaciones? ¿Cuál te ha sorprendido más? ¿Por qué?

Unidad No deberíais hacer eso

ANTES

1. Lee la siguiente información sobre el personaje de Don Juan y cuéntasela a tu compañero/a con tus propias palabras. Él/Ella hará lo mismo.

A

El personaje de Don Juan apareció por primera vez en 1630, en la obra de Tirso de Molina *El burlador de Sevilla*. Desde entonces y hasta hoy, Don Juan ha sido el protagonista de numerosas obras, apareciendo tanto en el teatro (Molière) como en la poesía (Byron) o en la ópera (Mozart), y convirtiéndose así en un personaje universal.

El *Don Juan Tenorio* de Zorrilla, obra de teatro estrenada el 28 de marzo de 1844, en plena época romántica, ha sido siempre el que mayor éxito ha tenido en España e Hispanoamérica, y es una de las creaciones más populares de la literatura española. Este Don Juan, que no necesitaba más que un día para conquistar a una mujer, otro para conseguirla y un tercero para abandonarla, pero que al final de la obra gana el cielo gracias al amor de una mujer, fue, desde el principio, un personaje fascinante por sus aventuras y por su compleja personalidad. Todos los años, el día uno de noviembre, día de Todos los Santos, es tradicional representar esta obra en la mayoría de los teatros españoles.

B

Don Juan Tenorio y Don Luis Mejía han quedado a las ocho de la noche para conocer el resultado de la apuesta que hicieron un año antes: demostrar a toda Sevilla cuál de los dos, durante ese año, ha sido más hábil con la espada y con las mujeres.

Don Juan gana la apuesta. Pero Don Luis le dice que en su lista de mujeres conquistadas le falta una novicia (mujer que se prepara para ser monja). Don Juan asegura a su rival que en seis días será capaz de conquistar, no sólo a esa novicia, sino también a la novia del mismo Don Luis, Doña Ana de Pantoja. Y así lo hace...

Pero, por primera vez en su vida, Don Juan se enamora sinceramente de una mujer, de Doña Inés, la novicia, y decide casarse con ella. El padre de la joven no se lo permite y los dos hombres se baten en duelo. Don Juan mata al padre de Doña Inés y tiene que irse de la ciudad.

Doña Inés muere de dolor y se convierte en fantasma. Pero con su amor consigue que Don Juan, muerto poco después, se reúna con ella en el cielo.

2. En español se dice "ser un donjuán". Explica qué significa la palabra "donjuán" y escribe nombres de personajes, reales o ficticios, que, según tú, tengan fama de donjuanes.

donjuán: _____

_____

_____

donjuanes: _____

DESPUÉS

3. En la Telecomedia ha aparecido un nuevo personaje. Responde a las siguientes preguntas relacionadas con él.

1. ¿Cómo se llama? _____

2. ¿De dónde es? _____

3. ¿Qué relación tiene con Carmen? _____

4. ¿Qué opina de Carmen? _____

5. ¿Crees que Juan está celoso de él? _____

4. Marca la respuesta correcta.

1. Diego y su equipo están en...
   a) Teruel.
   b) Toro.
   c) Toledo.

2. Guadalupe, Óscar y Juan han visto un cuadro de...
   a) Goya.
   b) El Greco.
   c) Velázquez.

3. El cuadro se llama...
   a) "El entierro del Conde de Orgaz".
   b) "La rendición de Breda".
   c) "Los fusilamientos del 2 de mayo".

4. El cuadro es...
   a) bastante pequeño.
   b) mediano.
   c) bastante grande.

5. En general, las figuras del cuadro son...
   a) redondas.
   b) cuadradas.
   c) alargadas.

6. Juan imagina que él es el...
   a) ángel.
   b) muerto.
   c) cura.

5. El siguiente artículo trata de las nuevas señales informativas de Toledo. Léelo e intenta completarlo con las cifras del recuadro. Luego, escucha la casete y comprueba tus respuestas.

8	70.000	800	2.000.000	52	14.000	50.000.000

Alberto Corazón pone orden en el bosque de señales de Toledo

El diseñador Alberto Corazón, de 52 años, ha creado un sistema único y original de señalización para Toledo. Dentro de poco, Toledo, ciudad de _____ habitantes (de los que _____ viven en el casco antiguo) y con _____ de turistas al año, podrá ser visitada siguiendo las rutas señalizadas. El casco antiguo se dividirá en _____ rutas o itinerarios, señalados con placas rojas, con información histórica y turística, y dibujos representativos. En los próximos meses se pondrán unas _____ placas en esta ciudad declarada patrimonio histórico de la humanidad por la Unesco. El proyecto tiene un presupuesto de _____ de pesetas, que se reparten la Junta de Castilla-La Mancha y la Real Fundación de Toledo. Las Naciones Unidas están muy interesadas en este sistema, que podría utilizarse para unificar la imagen de otras ciudades que son patrimonio de la humanidad.

Texto adaptado de *El País*, 27/02/94.

6. **Completa oralmente las siguientes frases, relacionándolas con el texto anterior y tu propia opinión.**

1. Los lugares de interés deberían...
2. Si una ciudad tiene muchos turistas, es conveniente...
3. Las Naciones Unidas deberían...
4. Yo creo que en Toledo...
5. Si alguien va a Toledo, debe...
6. Para visitar una ciudad, lo mejor es...
7. No me parece bien que...
8. Es conveniente que...

DESPUÉS

7. **Piensa qué consejos puedes dar a los personajes de la historia de Don Juan, en la Telecomedia, para que el final sea distinto.**

Don Juan, le aconsejo que mañana a las ocho se quede en casa./Don Juan, mañana debería quedarse en casa.

Don Juan - Don Luis - Doña Carmen - Rosamunda - Óscar - Guadalupe

8. **Elige con varios/as compañeros/as una de las siguientes escenas de la Telecomedia. Leed la parte de la transcripción que le corresponde, aprendedla y representadla en clase.**

Escena 1: Don Luis va a casa de doña Carmen fingiendo que es don Juan. Cuatro personajes: don Luis, Guadalupe, Diego y Óscar.

Escena 2: Don Juan está hablando con Rosamunda cuando llega Óscar y le avisa de las intenciones de don Luis. Tres personajes: Rosamunda, don Juan y Óscar.

Escena 3: Creyendo que es don Juan, doña Carmen habla con don Luis hasta que llega el verdadero don Juan. Tres personajes: doña Carmen, don Luis y don Juan.

Escena 4: Don Juan y don Luis se han retado a duelo y están en el monte con sus padrinos. Ocho personajes: don Juan, don Luis, Ramón, Diego, Óscar, Guadalupe, doña Carmen y Rosamunda.

USA TUS NOTAS

¿Qué consejos crees que puede darle...

1. un/a ecologista a un/a fabricante?
2. un/a vegetariano/a a un/a carnívoro/a?
3. un/a poeta/poetisa a un/a científico/a?
4. un/a turista a otro/a turista?
5. un/a conductor/a a un/a peatón/peatona?
6. un/a azafato/a a un/a pasajero/a?

1. No debería utilizar productos contaminantes en su fábrica.

Lecturas para el viaje

Haz un grupo con otros/as tres compañeros/as. Cada uno/a leerá la información correspondiente a una zona de España; así podrá aconsejar a los/las demás lo mejor para esas vacaciones que tenéis que organizar en el ejercicio 6 del Libro.

Alumno/a A: algo del este de España.

Cataluña. Capital: Barcelona. Una de las zonas turísticas más importantes de España, tanto en invierno como en verano, porque la gente puede disfrutar igualmente de la montaña (los Pirineos) como de la playa (el mar Mediterráneo). Es una ciudad muy cosmopolita.

Comunidad Valenciana. Capital: Valencia. Famosa por su fruta, su arroz y sus hortalizas. La costa de Alicante tiene playas estupendas, como la de Benidorm.

Las Baleares. Capital: Palma de Mallorca. Archipiélago formado por cinco islas y algunos islotes en el Mediterráneo. Tiene un clima muy agradable todo el año y un bonito paisaje. La isla más grande es Mallorca, donde, además de la capital, pueden visitarse otros lugares de interés turístico como Manacor, Sóller o el Arenal. La sigue Menorca, una isla donde se puede disfrutar del paisaje y de la tranquilidad. Ibiza fue el lugar favorito del movimiento *hippy* de los años sesenta y setenta; es una ciudad con mucha vida nocturna.

Alumno/a B: algo del norte de España.

Galicia. Capital: Santiago de Compostela. La región más lluviosa de España, por eso tiene muchos bosques y pastos. Lo más característico de su paisaje son las rías. Hay mucha pesca. Su capital es una de las ciudades más bonitas de España.

Asturias. Capital: Oviedo. Comunidad muy verde y montañosa. Es famosa su bebida típica, la sidra, hecha con zumo de manzana. La ciudad de Gijón tiene uno de los puertos más importantes del Cantábrico.

País Vasco. Capital: Vitoria. Una de las comunidades españolas donde más y mejor se come de toda España. Bilbao era una de las ciudades más industriales de hace unos años.

La Rioja. Capital: Logroño. Una de las comunidades más pequeñas de España y también una de las más famosas por sus vinos. Tiene monasterios muy antiguos que se pueden visitar.

Navarra. Capital: Pamplona. La capital es muy conocida por sus fiestas del mes de julio.

Alumno/a C: algo del sur de España.

Andalucía. Capital: Sevilla. Una de las comunidades más extensas y más pobladas de España. Andalucía tiene buenos vinos, buen clima y mucho turismo (Costa del Sol). Conserva muestras de las culturas romana y árabe. Sus pueblos están casi siempre pintados de blanco.

Extremadura. Capital: Mérida. Una de las comunidades más desconocidas incluso para los propios españoles. Mérida posee un impresionante teatro romano, y Cáceres, un casco antiguo muy bien conservado.

Las Canarias. Capital: Las Palmas de Gran Canaria (Gobierno)/Santa Cruz de Tenerife (Parlamento). Archipiélago formado por siete islas y seis islotes. El paisaje es muy variado: tropical, desértico, volcánico. Tiene un clima estupendo todo el año. Es importante el cultivo de plátano, tabaco y tomate.

Alumno/a D: algo del centro de España.

Castilla y León. Capital: Valladolid. Tiene un clima muy seco y poca vegetación. Se cultiva el trigo. Cuenta con muchas ciudades históricas (Burgos, Salamanca, Segovia, etc.), todas ellas con cascos históricos y monumentos muy interesantes.

Castilla-La Mancha. Capital: Toledo. En esta comunidad todavía se pueden ver molinos de viento. Tiene un clima muy extremo: inviernos muy fríos y veranos muy calurosos. Su capital es una ciudad con muestras de arte de distintas culturas y épocas.

Madrid. Capital: Madrid. En Madrid, por ser la capital de España, se pueden ver los mejores museos del país y asistir a muchos espectáculos.

Unidad 61

Estoy contenta. Mejor dicho, soy feliz

1. ¿Qué quiere decir...

1. "embarazada"? *Que va a tener un bebé.*
2. "histérico/a"? _____
3. "desmayarse"? _____
4. "horrible"? _____
5. "mema"? _____
6. "preciosidad"? _____
7. "¡enhorabuena!"? _____
8. "moisés"? _____
9. "reservar"? _____
10. "despacio"? _____

2. Intenta completar las frases siguientes relacionadas con la Telecomedia, utilizando algunas de las palabras del ejercicio anterior. Comprueba tus respuestas cuando veas el vídeo.

1. En la sala de espera del médico hay una mujer _____; es su primer hijo y está muy nerviosa.

2. Otra mujer le dice que, cuando ella tuvo a su primer hijo, su marido estaba _____ e incluso _____.

3. Carmen no quiere salir de casa, ni ir de compras, ni hacer nada porque se siente fea, gorda y _____.

4. Guadalupe intenta animarla y le dice que no sea _____.

5. Juan también quiere animar a Carmen. Por eso _____ una mesa en el restaurante favorito de Carmen.

6. El camarero no entiende bien a Juan y le pide que hable más _____.

3. Ahora, elige tú dos palabras del ejercicio 1 y haz las frases que quieras.

1. _____
2. _____

4. ¿Te has fijado bien en todos los detalles? Marca cuál de estas cosas no ha aparecido en la Telecomedia.

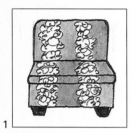
1

2

3

4

5

6

7

8

9

10

5. Basándote en la información de la Telecomedia, matiza o aclara con otras palabras las frases siguientes.

1. Una de las mujeres no está muy tranquila, es decir, _____.

2. Carmen no se siente bien, mejor dicho, _____.

3. Carmen es una "mensa", es decir, _____.

4. Carmen va a tener un hijo, es decir, _____.

5. En la tienda hay ropa de bebé preciosa, es decir, _____.

6. El camarero no oye bien a Juan, mejor dicho, _____.

6. Vas a oír una serie de frases. Escúchalas bien todas y, luego, relaciona cada una con la reacción más adecuada.

☐ Perdón, ¿puede repetirlo, por favor?

☐ ¿Cómo has dicho?

☐ Sí. No me gusta nada, pero lo he entendido muy bien.

☐ ¿Podéis hablar más bajo, por favor?

☐ No hables tan rápido, que no he entendido nada.

☐ ¿Qué quieres decir con eso?

7. Completa los siguientes diálogos con "o sea" o "mejor dicho".

1. —¡Hola! ¿Tienes las entradas?

   —Lo siento, pero no las he comprado, _____, no he podido comprrar-las: ya no quedaba ninguna.

   —_____, que adiós noche de teatro. ¡Qué mala suerte!

2. —¿Sabías que mi hermana va a tener un bebé, _____, dos bebés,

   _____, gemelos?

   —No, no lo sabía. ¡Enhorabuena!

3. —Hoy he visto a Pedro, _____, quedé con él para comer.

   —¿Y qué tal está? Hace tiempo que no lo veo.

   —Bien, _____, estupendamente: ayer empezó sus vacaciones.

DESPUÉS

8. Según Guadalupe, cuando alguien está triste, ...

– lo peor es _____

– y lo mejor es _____

9. ¿Tú qué opinas? Contesta y compara con tus compañeros/as.

– Lo peor es _____

– Lo mejor es _____

USA TUS NOTAS

Hazle a tu compañero/a las siguientes preguntas relacionadas con el "Tome nota". Pero antes, busca el nombre de los cuadros que has visto y de sus autores en el ejercicio 4 de la unidad anterior.

A (cuadro 1):
1. ¿Has encontrado el nombre del cuadro? ¿Cuál es?
2. ¿Sabías que es un cuadro de Velázquez?
3. ¿Sabías que también se conoce como "El cuadro de las lanzas"?
4. ¿Qué significa "batalla"?
5. En el Museo del Prado hay cuadros de Velázquez, ¿verdad?
6. ¿Puedes decir el nombre de otros cuadros de este pintor?

B (cuadro 2):
1. Este cuadro es de Goya, ¿no?
2. ¿Puedes decir de dónde era Goya?
3. ¿Sabías que este cuadro se llama "Los fusilamientos del 2 de mayo"?
4. ¿Qué quiere decir "estarse quieto"?
5. ¿Sabías que Goya se quedó sordo?
6. ¿Puedes decir el nombre de otros cuadros de este pintor?

Lecturas para el viaje

Lee las siguientes afirmaciones sobre la educación de los/las niños/as pequeños/as y marca si estás de acuerdo o no con ellas. Luego, compara y comenta tus opiniones, justificándolas, con las de tus compañeros/as y utilizando las expresiones aprendidas en esta unidad.

	Sí	Me da igual	Depende	No
1. Nunca hay que pegar a un/a niño/a.				
2. Hay que contestar a las preguntas de los/las niños/as como se contesta a una persona mayor.				
3. Los/Las niños/as no deberían ver la televisión.				
4. Los juguetes tienen mucha importancia en la educación de los/las niños/as.				
5. No es bueno que los/las niños/as crean en cosas que no existen, como los Reyes Magos o el Ratoncito Pérez.				
6. Conviene que un/a niño/a tenga hermanos/as.				
7. Para los/las niños/as es mejor tener padres jóvenes.				
8. En caso de divorcio, el/la niño/a debería poder elegir con quién quiere vivir.				
9. Los abrazos y los besos son muy importantes para los/las niños/as.				
10. Con los/las niños/as es mejor ser más "duro/a" que "blando/a".				
11. Los/Las niños/as deben ir a una guardería antes de ir al colegio.				
12. Los colegios tienen que ser mixtos.				

Unidad 62 Seguro que volverán

ANTES

1. Escucha atentamente y escribe una frase explicando lo que crees que pasa en cada situación. Indica también hasta qué punto estás seguro/a o no de lo que dices. Luego, compara tu respuesta con la de tus compañeros/as.

1. *Me parece que hay un incendio. Es posible que sea en un bosque, no lo sé, pero sí estoy seguro/a de que los bomberos van a apagar el fuego.*

2. _____
_____

3. _____
_____

4. _____
_____

5. _____
_____

6. _____
_____

7. _____
_____

8. _____
_____

9. _____
_____

10. _____
_____

DESPUÉS

2. Completa con "está seguro/a" o "no está seguro/a", según los casos.

1. Rosi _____ de volver a trabajar con Carmen.

2. Carmen _____ de que volverá a trabajar con Rosi.

3. Juan _____ de que Diego vaya a hacer otro programa sobre España.

4. Diego _____ de que su nuevo programa empiece el año que viene.

5. Juan _____ de que no ha cambiado nada en Villaviciosa.

6. Ángel _____ de que alguno/a de sus alumnos/as sabe la respuesta.

7. Ángel _____ de que mañana haga buen tiempo para ir a pescar.

3. Lee y completa tu texto con las palabras del recuadro. Luego comprueba tus respuestas con el texto de tu compañero/a. Finalmente, corregid juntos/as el ejercicio viendo de nuevo la Telecomedia.

A

quizá (3 veces) - es imposible - estoy seguro de que (2 veces) - es probable que

"_____ nuestro programa "Conocer España" ha servido para que ustedes nos conozcan un poco, y también para comprender mejor cómo es nuestro país. _____ ya han venido ustedes alguna vez; o a lo mejor, vienen este verano a visitarnos. Bienvenidos. _____ no vean muchas de las cosas que les hemos enseñado. _____ conocer España en quince o veinte días, pero _____ si vienen, volverán. _____ pase un año, _____ pasen dos; pero volverán. Les estamos esperando."

B

dos; pero volverán. Les estamos esperando."

_____ si _____, _____ Quizá _____ un año, quizá _____

de que si _____ , _____ Quizá _____ un año, quizá _____

enseñado. Es imposible _____ España en quince o veinte días, pero estoy seguro

Bienvenidos. Es probable que _____ muchas de las cosas que les hemos

ya han venido ustedes alguna vez; o a lo mejor, _____ este verano a visitarnos.

nos conozcan un poco, y también para comprender mejor cómo es nuestro país. Quizá

"Estoy seguro de que nuestro programa "Conocer España" ha servido para que ustedes

pase - no vean - conocer - pasen - vienen (2 veces) - volverán

4. Vas a oír una serie de afirmaciones sobre lo que has oído y visto en la Presentación. Escúchalas y marca si son verdaderas o falsas.

1. ☐   5. ☐

2. ☐   6. ☐

3. ☐   7. ☐

4. ☐   8. ☐

ESPUÉS

5. ¿Recuerdas qué se ha dicho en la Telecomedia de las personas y cosas de la columna de la izquierda? Relaciónalas con el adjetivo correspondiente.

1. chica	a) precioso/a
2. primo	b) maravilloso/a
3. casa	c) guapo/a
4. juguete	d) estupendo/a
5. sitio	e) favorito/a
6. gente	f) preferido/a

6. Responde a estas preguntas relacionadas con la Telecomedia.

1. ¿De dónde es Isabel?
2. ¿Se conocían Isabel y Carmen?
3. ¿Qué le enseña Isabel a Carmen?
4. ¿De quién era antes la casa?
5. ¿Qué sorpresa tiene Ángel para Juan?
6. ¿Cuándo jugaban Ángel y Juan en la casa?
7. ¿Qué le parece a Carmen el lugar?
8. ¿Cómo llama Isabel a Juan y a Ángel?

7. Escribe frases utilizando las siguientes palabras aparecidas en la Telecomedia y uno o más adjetivos en cada una.

1. desván: ______________________
2. comida: ______________________
3. vacaciones: ______________________
4. habitación: ______________________
5. bebida: ______________________

USA TUS NOTAS

Intenta adivinar con tus compañeros/as qué son los siguientes objetos y comentad vuestras opiniones con las expresiones aprendidas en esta unidad.

1

2

3
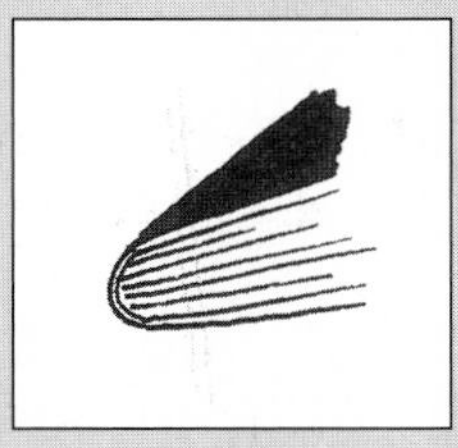
4
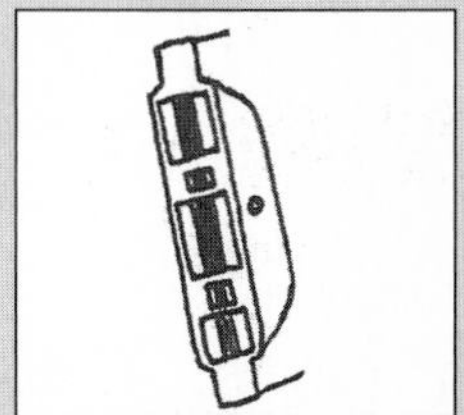

Ayuda:

Probablemente es...	Es posible que...	Seguramente es...
Quizás sea...	Estoy seguro/a de que...	Pues yo creo que...

Lecturas para el viaje

Lee la siguiente información sobre el Principado de Asturias y amplíala con un/a compañero/a buscando más datos en guías de viajes, atlas, folletos turísticos, etc. Las fotos os darán ideas.

El Principado de Asturias se extiende a lo largo del mar Cantábrico, entre los ríos Eo (al oeste) y Deva (al este). Hacia el interior, la impresionante Cordillera Cantábrica marca el límite sur y la frontera con el resto de las comunidades españolas. Estas características geográficas, unidas a un clima oceánico de abundantes lluvias, convierten a Asturias en un verdadero paraíso natural en lo que a vegetación y fauna se refiere.

_____

_____

_____

_____

_____

_____

_____

_____

_____

_____

_____

_____

Ahora, leed vuestro texto al resto de la clase y comentad con vuestros/as compañeros/as qué opináis de Asturias.

ANTES

1. **¿Recuerdas la unidad 53 en la que Juan hablaba de la vida en la ciudad? Repasa la transcripción de esa unidad y completa este breve texto.**

A Juan le encanta la vida en la _____. Le gusta mucho vivir en Madrid y

no le molestan ni los _____, ni el _____, ni el _____

ni los _____. No le gustaría vivir en una _____,

ni en un _____ porque no son sitios _____ y, además,

están muy _____ de Madrid.

ESPUÉS

2. **Como has visto en la Telecomedia, Juan ha cambiado de opinión sobre la vida en la ciudad. ¿Has tomado nota de...**

1. las tres cosas que no le gustan de la ciudad?

a) _____   b) _____   c) _____

2. los dos únicos problemas que tendrá si decide vivir en el campo?

a) _____   b) _____

3. lo que le dice a Carmen para convencerla de vivir en el campo?

a) _____

3. **¿Te has fijado bien en todos los detalles de la Telecomedia? Contesta a estas preguntas, indicando si estás seguro/a o no de tus respuestas.**

1. A: *Yo creo que está a unos 13 kilómetros.*
   B: *Yo estoy seguro/a de que está a 12 kilómetros.*
   C: *Pues a mí me parece que está a 11 kilómetros.*

1. ¿A cuántos kilómetros está Tazones de Villaviciosa?

2. ¿Cómo va vestida Carmen?

3. ¿De qué color es la casa que Ángel y Juan ven desde el muelle?

4. ¿Cómo se llaman los pájaros que se ven en las imágenes?

5. ¿A quién le compran el pescado Ángel y Juan: a un hombre o a una mujer?

6. ¿Cómo se llama el bar-restaurante donde están sentados los personajes?

7. ¿Están tomando algo Carmen e Isabel cuando llegan Ángel y Juan?

8. ¿Cómo se llama el camarero del bar?

4. **Practica con tus compañeros/as. Has sido invitado/a al programa de debate *Y tú, ¿qué opinas?* El tema de hoy es "Ratoncito de ciudad, ratoncito de campo". Elige uno de los papeles propuestos, léelo atentamente y represéntalo, defendiendo tus ideas, gustos y opiniones.**

Traductor/a. Desde hace 10 años vives en una casa de campo que has arreglado a tu gusto y necesidad. Tienes un despacho con ordenador, fax, teléfono, biblioteca, etc. Te encanta el campo porque, además de mucha tranquilidad para trabajar, tienes tu propio ritmo de vida: comes, duermes, sales y trabajas cuando quieres. Llevas una vida mucho más sana que en la ciudad. Sólo vas a la ciudad cuando tienes que presentar algún trabajo. Otras cosas: no te gustan los animales; tus hijos viven en la ciudad porque estudian en la universidad; te costó mucho dinero arreglar la casa.

Agricultor/a. Has pasado toda tu vida en el campo. Vives en la casa que era de tus padres, una casa vieja y grande que quieres arreglar algún día. Te levantas muy temprano por las mañanas y trabajas mucho todo el día. Te pagan muy poco por tus productos. Te gusta el sol, la naturaleza, los animales y charlar con los vecinos. Casi nunca vas a la ciudad porque te molesta mucho el ruido, el tráfico y las prisas de la gente. Otras cosas: tus hermanos se fueron a vivir a la ciudad y les gustaría volver al campo, pero no pueden porque no hay trabajo para ellos en el pueblo; en verano muchos familiares vienen a tu casa; la última vez que estuviste en la ciudad te atracaron.

Actor/Actriz. Tus padres viven en el campo pero tú vives en la ciudad desde los dieciocho años y nunca volverías a vivir en el pueblo. Te encanta el ambiente de la ciudad por la noche: los bares, los teatros, los cines, las discotecas y los restaurantes, y sales mucho con tus amigos/as. Durante el día vas al gimnasio, ensayas algún papel o simplemente te quedas durmiendo en casa. Te encanta la comida preparada y siempre lo tomas todo "light" para no engordar. La vida en el campo te parece aburridísima. Otras cosas: gastas mucho dinero en ropa y cuidado personal; te gusta pasear por la ciudad viendo los escaparates; en el campo no podrías hacer tu trabajo.

Abogado/a. Vives y trabajas en el centro de una gran ciudad. Crees que las ciudades son necesarias para el desarrollo de la sociedad. Estás contento/a de vivir en la ciudad. A veces pasas algún día de fiesta en el campo, pero los bichos y las plantas te resultan molestos. Otras cosas: crees que un pueblo es más seguro que una ciudad; quizá te sentirías más importante y útil en un pueblo que en una ciudad –donde sobran los/las abogados/as–, pero en un pueblo se conoce todo el mundo y eso no te gusta.

Secretario/a. Trabajas en una empresa internacional y te gusta mucho tu trabajo. No tienes coche y vas en transporte público a todas partes. Te conoces la ciudad perfectamente y te gusta. No tienes tiempo de aburrirte porque siempre hay cosas que hacer. Cada fin de semana visitas algo de la ciudad: un museo, una exposición, un monumento, un barrio, un mercadillo, etc. Vives en un piso y todos tus vecinos son encantadores. Otras cosas: no sabes cómo es la vida en el campo; todos tus amigos son de ciudad; te gusta viajar al extranjero y conocer otras ciudades.

Cartero/a. Has vivido varios años en la ciudad y ahora vives en el pueblo. En la ciudad tenías el mismo trabajo. De momento te gusta mucho más el pueblo porque la gente es más agradable y amable. En la ciudad respirabas mucho humo y aquí respiras aire puro. Hay días que tienes muy poco trabajo y puedes hacer otras cosas que te gustan. Dentro de unos años te gustaría volver a la ciudad, crees que no vas a poder vivir toda tu vida en el campo. Otras cosas: el invierno es muy duro para tu trabajo porque en tu pueblo hace mucho frío; casi todos los fines de semana vas de excursión a un lugar distinto; ganas más dinero ahora que antes.

Deportista. Vives en la ciudad porque allí están los mejores clubes deportivos y los mejores entrenadores. De la ciudad te molesta la contaminación, y del campo, las incomodidades. Tienes una casa en un pueblo donde pasas todos los fines de semana y todas tus vacaciones. En la ciudad tienes muy buenos amigos y a veces en el pueblo te sientes muy solo. Te encanta el ritmo rápido de la ciudad pero porque después puedes descansar en el pueblo. Otras cosas: te cuesta bastante dinero mantener dos casas; cuando vas al campo te gusta entrenarte tú solo al aire libre.

Moderador/a del programa. Tienes que hacer que todos/as los/las invitados/as den su opinión, hablen, se pregunten y respondan adecuadamente. Aquí tienes algunos temas que puedes proponer para animar el debate: la sanidad (hospitales, servicios de urgencia, farmacias, etc.); la seguridad (robos, asesinatos, etc.): la educación (escuelas, universidades, bibliotecas, etc.); la alimentación (natural, química, restaurantes, etc.); el ocio (cines, teatros, museos, etcétera); la información (prensa, radio, televisión).

ESPUÉS

5. Compara, en todos los aspectos posibles, los sueños de Carmen y de Juan.

El sueño de Juan es en color; el de Carmen es en blanco y negro.

USA TUS NOTAS   **Relaciona las siguientes palabras con uno de los apartados propuestos, justificando en cada caso tu respuesta.**

estrés - salud - tranquilidad - calidad de vida - servicios - comodidad - cultura - seguridad - poesía - intimidad - relaciones humanas - aburrimiento - amistad - trabajo - naturaleza - diversión - animación - arte - progreso - anonimato - hipocresía - ruido - libertad

– CAMPO

– CAMPO/CIUDAD

– CIUDAD

Aquí tienes el nombre de varios personajes de ficción famosos y unos dibujos que ilustran el lugar donde viven. Imagina que eres uno de ellos (u otro que se te ocurra) y escríbele una carta a un/a amigo/a, contándole cómo es tu vida: dile lo que te gusta o no del lugar y de la época en que vives, lo que haces habitualmente, lo que te gustaría hacer, etc.

_____
_____
_____
_____
_____
_____
_____
_____
_____
_____
_____
_____
_____
_____

Ahora, lee la carta de tu compañero/a y adivina qué personaje es.

ANTES

1. **¿Conoces los siguientes títulos de películas? ¿Te recuerdan alguno más los dibujos? De todas estas películas, elige una y resume el argumento principal.**

La pantera rosa

2001, Odisea en el espacio

En busca del arca perdida

La guerra de las galaxias

La bella y la bestia

Lo que el viento se llevó

Memorias de África

Sonrisas y lágrimas

Casablanca

Carros de fuego

_____
_____
_____
_____
_____
_____
_____

 2. **¿Cuál es el título de estas películas en tu lengua? ¿A qué género pertenece cada una?**

102

3. Aquí tienes, desordenadas, la historia que Isabel le cuenta a Carmen (I) y la que viven Juan y Ángel (II). Ordénalas.

I

☐ Hizo muy mal tiempo y llovió mucho.

1 El año pasado, Isabel y Ángel estuvieron en La Rioja de vacaciones.

☐ Estuvieron toda la noche sacando agua de la tienda.

☐ Fueron al campo y montaron su tienda de campaña.

☐ Al final tuvieron que marcharse a casa.

☐ Llovió tanto que la tienda de campaña se les inundó.

II

☐ El monje también desapareció.

☐ Se oyó un ruido y Ángel desapareció.

☐ El monje le dijo que no podía hablar con él porque lo estaban esperando.

1 Juan y Ángel estaban en la capilla.

☐ Ángel se quedó encerrado, no podía abrir la puerta.

☐ Juan le contó todo lo que había pasado a otro monje.

☐ Ángel le estaba contando a Juan la historia del lugar.

☐ Al final Juan se quedó sin encontrar a su primo Ángel.

☐ Juan quería hablar con un monje que llevaba el libro de Ángel en la mano.

 ANTES

4. Completa la siguiente transcripción de la Presentación con las vocales que faltan.

_st_ _s _l M_n_st_r_ _ d_ S_n M_ll_n d_ S_s_. _q_ _, h_c_ m_s d_ m_l _ñ_s, _n m_nj_ _scr_b_ _ l_s pr_m_r_s p_l_br_s _n l_ng_ _ _sp_ñ_l: l_s Gl_s_s _m_l _n_ns_s. Éste es el sepulcro de San Millán, que murió en el siglo VI. Desde entonces está constatada la presencia de monjes en este monasterio.

L_ R__j_ _s _n b__n s_t__ p_r_ v_n_r. T__n_ _mp_rt_nt_s m_n_st_r__s _ _gl_s__s, y l_ g_nt_ _s _lgr_. Sí, a los de La Rioja les encanta que los viajeros vengan a visitarla y, por cierto, t_ _n_ _n_ c_c_n_ _xc_l_nt_ y s__mpr_ h_y _n b__n v_n_ p_r_ b_b_r.

5. **Escucha y completa el siguiente crucigrama. Cuando tengas todas las palabras podrás leer el nombre de la capital de La Rioja.**

1. Vino de La Rioja de color rosado.
2. Vino de La Rioja seco y aromático.
3. Comunidad que se encuentra al este de La Rioja.
4. Río que pasa por la capital de La Rioja.
5. Vino fuerte de color rojo oscuro.
6. Deporte que se puede practicar en La Rioja.
7. Se pueden visitar en la capital y son muy importantes.

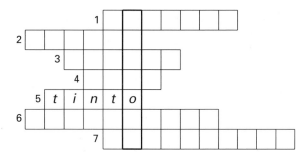

DESPUÉS

6. **Termina el texto siguiente con la ayuda de las palabras propuestas.**

> tratar de - dos amigos - encontrarse - Venecia - perderse - buscar - hotel - aventuras - ocurrir - terrible - asesino

*La novela que está leyendo Isabel **trata de** _____*

_____

_____

_____

_____

_____

_____

USA TUS NOTAS

Escucha el "Tome nota" y completa la siguiente transcripción.

El domingo pasado _____. Me levanté pronto,

_____, pero Isabel estaba dormida todavía.

_____ y me dijo que sí. _____

_____ y salimos hacia la playa. Hacía un día estupendo y _____

_____. _____. Fue un día maravilloso.

Responde a la siguiente encuesta sobre el cine.

1. ¿Cuántas veces vas al cine en un mes?
   – nunca   – una vez   – dos o tres veces   – más de cuatro veces

2. ¿En qué te fijas cuando eliges una película?
   – en el tema   – en los actores   – en el director

3. ¿Compras revistas relacionadas con el cine?
   – sí, casi siempre   – a veces   – no, nunca

4. ¿Ves los programas de televisión dedicados al cine?
   – sí, casi siempre   – a veces   – no, nunca

5. ¿Haces caso de las críticas de periódicos y revistas?
   – sí, casi siempre   – a veces   – no, nunca

6. Cuando vas al cine, te gusta ir...
   – acompañado/a   – solo/a

7. Cuando vas al cine, lo que quieres es...
   – distraerte   – pensar   – olvidarte de la vida real

8. ¿Cómo te gusta ver las películas?
   – en versión original, subtituladas   – dobladas

9. Cuando vas a elegir una película, ¿es importante el título?
   – sí, bastante   – a veces   – no, en absoluto

10. Prefieres ver las películas en...
    – el cine   – vídeo

11. ¿Te gusta el cine español?
    – sí, mucho   – sólo algunas películas   – no, en absoluto

12. Escribe el nombre de un director de cine español: _____

13. Y el de un director no español: _____

14. ¿Cuál es tu película preferida? _____

15. ¿Y tus actores y actrices preferidos? _____

_____

Comenta, justificándolas, tus respuestas con tus compañeros/as.

Unidad **65** **Y al final fueron cuatro**

Recapitulación

ANTES **1. Haz las siguientes preguntas a tu compañero/a. Él/Ella responderá utilizando expresiones estudiadas en este curso.**

A

1. ¿Qué te gustaría hacer cuando llegues a casa?
2. ¿Cómo es tu mejor amigo/a?
3. ¿Qué haces normalmente antes de ir a tu clase de español? ¿Y después?
4. ¿Sabes conducir? ¿Crees que es fácil?
5. ¿Te pareces a tus padres? ¿En qué sois iguales o distintos?
6. ¿Cómo pides en una tienda un kilo de manzanas? ¿Y una habitación en un hotel? ¿Y un menú en un restaurante?
7. ¿Qué hace falta para preparar tu plato preferido? ¿Cómo se prepara?
8. ¿Qué dices al descolgar un teléfono que suena? ¿Y cómo preguntas por alguien por teléfono?
9. ¿Dónde vives? ¿Hay alguna parada de autobús cerca?
10. ¿Quién ha sido la primera persona con la que has hablado esta mañana? ¿Y qué le has dicho?
11. ¿Cuándo ha empezado la clase? ¿Y cuánto falta para que termine?
12. ¿Te molesta oír música cuando estás estudiando o trabajando?

B

13. ¿Qué vas a hacer este fin de semana? ¿Y cuando termine el curso de español?
14. ¿Qué harás si tus resultados en español son buenos? ¿Y si son malos?
15. ¿Desde cuándo estudias español?
16. ¿Vas a seguir estudiándolo?
17. ¿Qué puedes poner al principio de una carta que escribes a un/a amigo/a español/a? ¿Y al final?
18. ¿Qué te parecen tus compañeros/as de clase?
19. ¿Por qué estudias español? ¿Para qué crees que sirve este ejercicio?
20. ¿Qué consejo le darías a una persona que va a ir a España el próximo verano?
21. ¿Recuerdas qué significa " embarazada" ?
22. ¿Es probable que sigas viendo a tus compañeros/as de clase cuando termine el curso?
23. ¿Qué es lo que más te ha gustado del curso?
24. ¿Ha pasado algo divertido durante el curso? Cuéntalo.

 2. Consulta las listas de vocabulario que hay al final del Cuaderno. Forma varias parejas de palabras y pide a tu compañero/a que intente hacer frases con ellas.

A: *villancico (unidad 16)* y **soñar** *(unidad 35).*
B: *Ayer por la noche* **soñé** *que era Nochebuena y que cantaba* **villancicos** *con mi familia al lado de una chimenea.*

DESPUÉS

3. **Contesta a las siguientes preguntas relacionadas con la Telecomedia.**

1. Es la hora de ir al hospital. ¿Dónde están...

   a) los pantalones de Juan? _____

   b) la maleta? _____

   c) los papeles del médico? _____

   d) las llaves del coche? _____

2. Carmen y Juan van hacia el hospital. ¿Qué coche...

   a) no arranca? _____

   b) se queda sin gasolina? _____

   c) los lleva finalmente al hospital? _____

3. Carmen y Juan están en el hospital. ¿Qué ha tenido...

   a) Carmen? _____

   b) Juan? _____

2 ANTES

4. **Aquí tienes una lista de las comunidades autónomas que has conocido con Carmen y Juan. Escribe junto a cada una el nombre de una o más localidades de la misma y una palabra clave que te la recuerde.**

1. Galicia: *Santiago de Compostela (Camino de Santiago). La Toja (balneario).*

2. Principado de Asturias: _____

3. Cantabria: _____

4. País Vasco: _____

5. La Rioja: _____

6. Cataluña: _____

7. Castilla y León: _____

8. Comunidad de Madrid: _____

9. Castilla-La Mancha: _____

10. Comunidad Valenciana: _____

11. Extremadura: _____

12. Andalucía: _____

13. Comunidad Autónoma de las Islas Baleares: _____

    _____

14. Canarias: _____

5. ¿Qué ha dicho Luis Cánovas en su despedida?

_____

_____

_____

6. ¿Recuerdas estas cosas? Algunas están relacionadas con la Teleco-media, otras, con lo que has aprendido durante el curso.

1. El apellido de Carmen y el de Juan: _____

2. Tres ciudades donde hayan estado Carmen y Juan: _____

_____

3. La nacionalidad de Guadalupe: _____

4. Dos tipos de llamadas telefónicas: _____

5. El viaje de Carmen y Juan en su luna de miel: _____

6. Dos celebraciones típicas en España: _____

7. Tres comidas españolas: _____

8. Una expresión para brindar: _____

9. Tres personajes famosos españoles: _____

10. Tres tipos de vivienda: _____

7. Lee el siguiente resumen de "Viaje para dos", subraya lo que no sea cierto y corrígelo oralmente con tu compañero/a. Luego, escuchad la casete y comprobad vuestras correcciones.

Carmen y Juan se conocieron en un tren que iba hacia Sevilla; en ese momento no sabían que iban a trabajar juntos haciendo una película. Más tarde, trabajando, viajaron juntos por casi toda España y entre ellos nacieron distintos sentimientos: empezaron siendo compañeros de trabajo, después amigos, novios, marido y mujer, y al final se divorciaron cuando fueron padres de tres niños, mejor dicho, de dos niños y una niña.

Al principio, Juan vivía con sus primos en un apartamento pequeño, y Carmen vivía con su madre y con su hermano, hasta que los primos se fueron al servicio militar y Carmen se casó con Juan y se fue a vivir con él. Compraron una casa en un pueblo de Asturias, donde también vivían Óscar y Guadalupe.

Carmen y Juan no siempre han viajado solos: con Óscar y Guadalupe visitaron Segovia, donde comieron una paella estupenda, y con sus compañeros de trabajo, Ramón, Diego y Doña Inés, estuvieron en Valencia. Todos ellos han intervenido en la película "Conocer España", que ganó un premio en San Sebastián, y todos esperan que el próximo año Diego no haga otro programa y no tener que trabajar juntos otra vez.

Lecturas para el viaje

Lee los siguientes resúmenes de algunos de los episodios de "Viaje para dos". Elige uno de ellos, u otro que te inspire más, y localiza la transcripción correspondiente. Según el número de personajes, haz un grupo con tus compañeros/as. Aprended la transcripción y representadla en clase: podéis utilizar disfraces y objetos, y variar los diálogos.

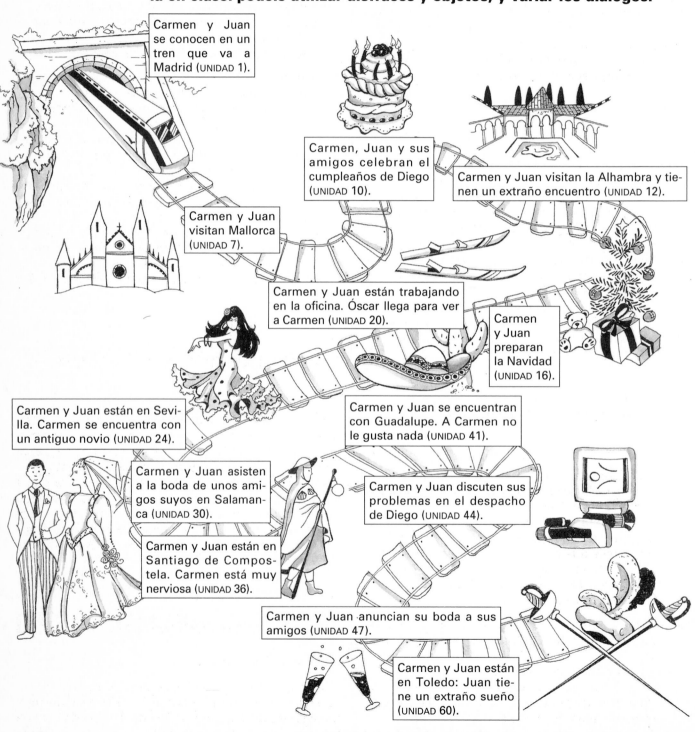

Carmen y Juan se conocen en un tren que va a Madrid (UNIDAD 1).

Carmen, Juan y sus amigos celebran el cumpleaños de Diego (UNIDAD 10).

Carmen y Juan visitan la Alhambra y tienen un extraño encuentro (UNIDAD 12).

Carmen y Juan visitan Mallorca (UNIDAD 7).

Carmen y Juan están trabajando en la oficina. Óscar llega para ver a Carmen (UNIDAD 20).

Carmen y Juan preparan la Navidad (UNIDAD 16).

Carmen y Juan están en Sevilla. Carmen se encuentra con un antiguo novio (UNIDAD 24).

Carmen y Juan se encuentran con Guadalupe. A Carmen no le gusta nada (UNIDAD 41).

Carmen y Juan asisten a la boda de unos amigos suyos en Salamanca (UNIDAD 30).

Carmen y Juan discuten sus problemas en el despacho de Diego (UNIDAD 44).

Carmen y Juan están en Santiago de Compostela. Carmen está muy nerviosa (UNIDAD 36).

Carmen y Juan anuncian su boda a sus amigos (UNIDAD 47).

Carmen y Juan están en Toledo: Juan tiene un extraño sueño (UNIDAD 60).

Ahora que ya has visto la Telecomedia completa, di qué episodio te ha gustado más, cuál te ha gustado menos y por qué.

UNIDAD 40. ¿Recuerdas? REPASO 1

Ejercicio 3. Conteste.

¿Qué restaurante me recomienda? ¿Dónde venden pan? ¿Cómo se hace una paella? ¿Para qué sirven los diccionarios? ¿Le duele la cabeza? ¿A qué hora empieza su clase de español? ¿Cómo es usted? Y ¿qué tal está usted hoy? ¿Qué va a hacer después de la clase? ¿Qué tiene que hacer esta semana?

Ejercicio 7. Escriba.

1. Juan no ha subido al avión porque prefiere quedarse en Madrid, con Carmen. 2. Carmen le dice a Juan que ella tampoco lo quiere. 3. Carmen y Juan entran en una discoteca para tomar algo. 4. Juan pide un café y Carmen, una ración de croquetas, otra de ensaladilla, un bocadillo de calamares y dos zumos de naranja. 5. En la cafetería, Charo, la camarera, y Jesús, el cartero, están discutiendo. 6. Jesús le cuenta a Juan los problemas que tiene con Charo, su hermana. 7. Y Charo le cuenta a Carmen sus problemas con Jesús. 8. Carmen y Juan aconsejan a Charo y a Jesús que se digan un "te quiero" de mentira. 9. Charo y Jesús siguen el consejo y, por fin, están tristes. 10. Juan vuelve con Carmen a su apartamento, pero allí le espera una sorpresa: un amigo que se llama Guadalupe.

UNIDAD 41. Me gustaría quedarme aquí

Ejercicio 1. Escuche.

1. — Hola, Cristina, ¿qué tal? Pareces cansada.
   — Lo estoy. Me he pasado toda la noche estudiando.
   — ¡Toda la noche! ¿Estás loca?
   — Es que esta tarde tengo un examen bastante importante y quería repasarlo bien todo. Pero me parece que no ha sido una idea muy buena, porque ahora sólo tengo ganas de dormir.
   — Anda, ven. Te invito a un café para que te despiertes un poco.

2. — Mira, Alberto, ya están poniendo en el cine esa película argentina que tienes tantas ganas de ver.
   — ¿Cuál? ¿"Un lugar en el mundo"?
   — Ésa, sí. ¿Quieres que vayamos a verla hoy?
   — Vale. Y luego podemos ir a cenar a "La carreta"; es un restaurante argentino muy bueno.
   — Me parece bien. Yo no lo conozco, pero tengo ganas de probar la famosa carne argentina.
   — Te gustará, ya verás.

3. — ¡Hola! ¡Ya estoy en casa!
   — Hola, Gloria. ¿Qué tal el día? Llegas un poco tarde, ¿no?
   — Sí, es que he tenido mucho trabajo en la oficina. Ha sido un día muy cansado. Ahora sólo tengo ganas de ducharme, de cenar y de irme a la cama.
   — Pues, venga, dúchate rápidamente y ven a cenar. He hecho espaguetis.
   — Mmmm, ¡qué bien! Enseguida vengo.

4. — ¿Diga?
   — Hola, David, soy Olga. ¿Qué tal estás?
   — Bien, pero muy ocupado: ¡estoy escribiendo la última página de mi novela!
   — ¡Estupendo! Tengo muchas ganas de leerla. ¿Todavía no quieres decirme de qué trata?
   — No, todavía no. Es una sorpresa.
   — Bueno, esperaré. Te llamaba porque hoy hace un día muy bonito y tengo ganas de ir a pasear por la playa. ¿Quieres venir?
   — Pues..., prefiero terminar esto primero. ¿Por qué no vienes a mi casa después del paseo, te invito a cenar y lees mi novela?
   — De acuerdo. Llevaré champán para brindar por ella. Hasta luego.

UNIDAD 42. Enfadada, pero enamorada

Ejercicio 5. Escuche.

1. Susana tiene la cara un poco roja. Sus manos están calientes. Tiene frío y calor al mismo tiempo. Tiene mucha sed, pero no tiene hambre. 2. Javier se ha tomado ya tres cafés. Está fumando mucho y se está mordiendo las uñas. 3. Almudena tiene los ojos perdidos y una gran sonrisa. Anda como en una nube y no come mucho. Está distraída y, en vez de trabajar, se pasa el día soñando. 4. Estos días, Juan está muy serio y casi no sonríe. No come mucho y no duerme bien. A veces tiene ganas de llorar.

UNIDAD 43. Cuando Carmen dice no

Ejercicio 3. Conteste.

¿Qué hace usted los domingos después de comer? ¿Y qué hace antes de irse a dormir? ¿Qué hace normalmente después de cenar? ¿Qué hace antes de ir a una fiesta? ¿Qué hace los sábados después de desayunar? ¿Qué hace antes de salir de casa para ir a trabajar?

Ejercicio 5. Escuche y complete.

La Semana Santa de Sevilla es una de las más importantes y hermosas de España. Durante una semana, la gente recuerda y celebra la Pasión, Muerte y Resurrección de Jesucristo. Casi todas las iglesias sevillanas sacan sus imágenes religiosas y las pasean en procesión por las calles. Normalmente, las procesiones se acompañan de saetas, cantos sin música que expresan el dolor de la persona que canta y que van dirigidos a la imagen en procesión.

La fiesta se celebra sobre todo en la noche del Jueves Santo al Viernes Santo. Esa noche nadie duerme en Sevilla porque toda la gente está en la calle, viendo pasar las procesiones.

UNIDAD 44. Inténtalo, Juan

Ejercicio 4. Escuche y complete.

En España, como en otros países, hay muchos actores. Cuando no son famosos y quieren conseguir un trabajo, tienen que hacer unas pruebas para demostrar lo que son capaces de hacer. Los que consiguen superar la prueba, trabajan luego en el teatro, en el cine o en la televisión.

UNIDAD 45. El mejor hombre de la Tierra

Ejercicio 1. Escuche.

1. Santander es la capital de Canarias. 2. Santander tiene 200.000 habitantes. 3. Santander tiene trece parques. 4. Los Reyes de España pasaban sus veranos en el Palacio de la Magdalena. 5. Santander está mucho más animada en verano que en invierno. 6. En Santander se celebra el Festival Internacional de Cine.

UNIDAD 46. Necesitamos una habitación

Ejercicio 4. Conteste.

1. ¿Le ha prestado usted mucho dinero a alguien alguna vez? 2. ¿Le ha dado usted dinero a alguien alguna vez? 3. ¿Le ha prestado usted su coche a alguien alguna vez? 4. ¿Le ha dado usted un cigarrillo a alguien alguna vez? 5. ¿Le ha dejado usted un jersey a alguien alguna vez? 6. ¿Le ha dado usted un consejo a alguien alguna vez? 7. ¿Le ha dejado usted un libro a alguien alguna vez? 8. ¿Le ha dado usted ropa a alguien alguna vez?

UNIDAD 47. Para casarse hace falta...

Lecturas para el viaje. Escuche.

— Bueno, ¿preparada para tomar nota de cómo se hace la paella de verduras?
— Sí, sí, espera un momento que cojo una hoja y un bolígrafo. Vale, a ver, dime.
— Primero los ingredientes. Para unas cuatro o cinco personas necesitas: cuatro alcachofas, 400 gramos de arroz, 200 gramos de zanahorias, 200 gramos de guisantes, 150 gramos de habas y unos 400 gramos de tomates maduros.
— A ver, a ver: cuatro alcachofas, 400 gramos de arroz, 200 de zanahorias, 200 de guisantes y ... ¿Qué más?
— 150 gramos de habas y 400 gramos de tomates maduros. También necesitas una cebolla y dos dientes de ajo.
— Una cebolla y dos dientes de ajo. Vale, ya lo tengo.
— Bueno, entonces, calientas el aceite en la paellera.
— ¿Cuánto aceite hace falta?
— No sé, no mucho, que cubra la paellera. Después, pones en el aceite las zanahorias y las alcachofas peladas y cortadas.
— Primero las zanahorias y las alcachofas...
— Sí. Cuando están doradas las sacas. Y en ese mismo aceite fríes la cebolla, los ajos, los tomates y un poco de perejil, todo muy bien picado.
— Las cebollas, los ajos, los tomates y el perejil... ¿También necesito perejil?
— Ay, sí, perdona, antes no te lo he dicho: hace falta un poco de perejil.
— Muy bien. Y cuando ya esté todo frito, ¿qué más tengo que hacer?
— Pues poner las verduras que faltan y, después, las zanahorias y las alcachofas que freíste antes.
— Y el arroz, ¿no?
— Exacto, el arroz. Es conveniente que lo dejes freír un rato y después echas el agua. El agua tiene que estar hirviendo.
— ¿Y cuánto tiempo tiene que cocer el arroz?
— No necesita mucho tiempo, ocho o diez minutos. Luego metes la paellera en el horno cinco minutos más para que se acabe de cocer. Y ya está, ya se puede servir.
— ¿No necesita sal?
— Sí, claro. Cuando el arroz esté cociendo le pones sal y un poco de pimienta.
— Creo que lo he anotado todo, a ver... El perejil, el arroz, cocer unos diez minutos, meter en el horno... Ah, el horno ¿a qué temperatura debe estar?
— Alta, unos 220 grados. Y es conveniente que el horno esté caliente antes de meter la paellera.
— Vale... Mañana mismo intentaré hacer la receta.

UNIDAD 48. ¡Ay, el teléfono!

Ejercicio 6. Escriba.

1. Somos Pizza-Rápida. En este momento no podemos atenderte, pero puedes hacer tu pedido después de oír la señal. Dinos tu nombre, tu dirección, número de teléfono, la pizza elegida y el tamaño que quieres. La tendrás en tu casa antes de media hora. 2. Hola, soy el contestador automático de Alberto. Ahora no puede hablar contigo, pero dime quién eres y le diré que te llame. Por favor, no cuelgues sin decirme tu nombre porque Alberto se enfadará conmigo. 3. Éste es el contestador automático del 456 33 89, consulta del doctor Jiménez. En·este momento no podemos atenderle. Por favor, deje su mensaje después de oír la señal. 4. Éste es el contestador automático de Ayuntamiento-Información. Por favor, deje su nombre, número de teléfono y motivo de su llamada y nos pondremos en contacto con usted. Gracias. 5. Le habla el contestador automático de Tour Hispania. En este momento nuestras oficinas están cerradas. Le recordamos que nuestro horario es de 8.00 de la mañana a 5.00 de la tarde, de lunes a viernes. Si quiere dejar algún mensaje puede hacerlo después de la señal, muchas gracias.

UNIDAD 49. Carmen está por allí

Usa tus notas. Marque.

1. Del cine; he ido a la última sesión con unos amigos. 2. Tranquilo, ya faltan pocos kilómetros. 3. No, éste va hacia el sur. El que va hacia el norte y llega hasta Bilbao es aquél. 4. Ahí, dentro de la bolsa. 5. Seguramente iremos a Cadaqués. 6. Por esta misma calle, todo recto. 7. A 350 kilómetros. 8. No sé, unos cinco kilómetros.

UNIDAD 50. Pregunta qué fiesta es hoy

Ejercicio 3. Escuche y complete.

La Noche de San Juan es la noche del 23 al 24 de junio, el solsticio de verano, la noche más corta del año. Es una fiesta pagana que ha llegado hasta nosotros desde muy lejos. Una fiesta, como otras muchas, en honor del sol: las hogueras que esa noche arden alegremente en todo el mundo (y, sobre todo, en la zona del Mediérraneo) son como un mensaje para el dios Sol, para decirle que no se lleve nunca de la Tierra ni su luz, ni su calor. Es una noche mágica en la que se dice que muchos elementos, como el agua y ciertas plantas, cobran propiedades maravillosas que curan y protegen al hombre de muchos males. Es una noche, también, de bellas tradiciones, como la de saltar por encima de las hogueras para conseguir un año de buena suerte. Es la misma noche, y no otra, que Shakespeare eligió para su *Sueño de una noche de verano*.

UNIDAD 51. Hace dos semanas

Usa tus notas. Escuche.

1. — Perdone, ¿a qué hora sale el tren que va a Oviedo?
   — A las 10.30 por la vía 5. Tendrá que darse prisa porque sólo faltan diez minutos.
   — Sí, gracias. ¿Por la vía 5?
   — Sí.

2. — ¿Sabes cómo puedo ir a Teruel desde aquí?
   — Para ir a Teruel... creo que hay un autobús cada día a las 7.00 de la mañana.

3. — Vaya, hombre, el avión de Tomás lleva retraso, no llegará hasta las 4.30.
   — ¿Estás seguro?
   — Mira: vuelo 586, procedente de Berlín, llegada 4.30. Es el suyo.
   — ¿Y qué hora es?
   — Ahora son las 2.30.

4. — "Tren procedente de Málaga con destino Valencia hará su entrada por vía 3 en breves momentos".
   — ¿Qué han dicho?
   — Que el tren de Málaga llegará dentro de unos minutos.

5. — Nosotros todos los viernes cogemos el coche y nos vamos a un apartamento que tenemos en la playa.
   — ¿Y estáis todo el fin de semana?
   — Sí, normalmente hasta el domingo por la tarde.

UNIDAD 52. ¿Le importa que...?

Ejercicio 2. Marque.

1. Perdón, señor, ¿le importa apagar el cigarrillo? Aquí no se puede fumar. 2. No te acerques mucho, cariño. Es peligroso. 3. Déme dos entradas de adulto y una de niño, por favor. 4. ¡Papá, no veo nada! ¡Levántame! 5. ¿Queréis que compremos algún recuerdo del zoo? 6. ¿Puedo tirarles palomitas? ¡Seguro que les gustan! 7. ¿Puedo coger un folleto? 8. ¡Yo no me quiero ir toda-

vía! ¡Quiero ver los delfines otra vez! 9. ¿Ya te has comido las palomitas? Pues tira el paquete a la papelera. 10. Mira estas flechas, mamá. Tenemos que ir por aquí. 11. ¿Por qué no vamos a ver los delfines? 12. Pobrecitos... ¿no les molesta estar en unas jaulas tan pequeñas?

UNIDAD 53. He decidido hacerles un regalo. REPASO 2

Ejercicio 9. Conteste.

1. ¿Quién ha pensado hacer un programa sobre la vida en una urbanización? 2. ¿Quién no vivirá nunca en una urbanización? 3. ¿Quién cena fuera esta noche? 4. ¿Quién ha decidido no hacerle caso a Juan? 5. ¿Quién no puede pensar en comprar un chalé o un piso? 6. ¿Quién les va a dar una sorpresa a Carmen y a Juan?

UNIDAD 54. Si quieres guerra, la tendrás

Ejercicio 5. Pregunte.

1. Está a 640 kilómetros. 2. Porque tiene mucho trabajo. 3. Todo el tiempo que quieran. 4. El mejor caballo de Dolores. 5. A una feria de caballos. 6. A las siete.

UNIDAD 55. Desde aquel día

Ejercicio 6. Escuche.

Jerez mantiene una importante tradición equina desde que en el siglo XVIII los monjes de La Cartuja se dedicaron a la selección y crianza de una raza única en el mundo: los famosos caballos andaluces. Aunque los antecedentes históricos de lo que hoy es la Real Escuela Andaluza de Arte Ecuestre se remontan al siglo XVII, su fundación definitiva tiene lugar en 1973. Cómo bailan los caballos andaluces es un auténtico ballet ecuestre montado sobre coreografía extraída de la doma clásica y vaquera, y vestuario a la usanza del siglo XVII. Al compás sugestivo de la música, jinetes y caballos andaluces ejecutan una armoniosa danza llena de matices.

UNIDAD 56. Sigue soñando, Diego

Ejercicio 3. Escuche y complete.

Mérida se levanta sobre las ruinas de la antigua *Emerita Augusta*, ciudad fundada por los romanos en el año 25 a. de C. Estas ruinas romanas son el gran orgullo de Mérida y su principal atracción, tanto para turistas como para arqueólogos. Entre sus monumentos más importantes están el Teatro y el Anfiteatro romanos. No lejos de los teatros está el Museo Arqueológico, que contiene la mayor colección de objetos romanos conservados fuera de Italia y es uno de los más importantes del mundo. Otro de los monumentos más impresionantes de Mérida es el Arco de Trajano, que mide 15 por 9 metros y que destaca por encima de los edificios cercanos. También hay que mencionar el Circo Máximo, el acueducto de los Milagros y el puente sobre el río Guadiana.

Usa tus notas. Escuche y complete.

— ¡Hola! Siento llegar tarde. Es que he tenido un problema en la oficina.
— Tranquila, no te preocupes. Yo también acabo de llegar.
— ¿Y Sonia? ¿No iba a venir contigo?
— Al final no ha podido. Su hijo pequeño ha vuelto a ponerse enfermo y no quiere dejarlo solo.
— ¡Qué pena! Hace mucho que no la veo. ¿Y tus hijos, qué tal?
— Espera, perdona. Antes de que sigamos hablando, ¿qué vas a tomar? Yo he pedido un café.
— Bueno, un café para mí también.
— Camarero, otro café, por favor.
— Enseguida.
— Pues mis hijos bien. Javier acaba de empezar la mili y Sonia termina la universidad este año. Piensa empezar a buscar un trabajo enseguida.
— A lo mejor yo puedo ayudarla a encontrar algo. En mi empresa siguen necesitando gente. ¿Crees que le puede interesar?
— Sí, claro. La verdad es que está muy preocupada por el paro y todo eso. No deja de pensar que no va a encontrar nada. Ya sabes cómo son los jóvenes.
— Bueno, es verdad que ahora las cosas están bastante mal, pero no hay que desanimarse. ¿Por qué no terminamos de tomar el café y vamos a tu casa a hablarle de ese puesto que ofrecen en mi empresa?
— Si no te importa...
— No me importa. Ya volveremos a quedar otro día para hablar de nuestras cosas.

UNIDAD 58. ¡Qué pena que seas tan aburrido!

Ejercicio 4. Escuche y complete.

La ciudad vieja de Cáceres, declarada monumento nacional, está separada de la ciudad nueva por murallas y torres bien conservadas. Sus calles y edificios medievales han servido de decorado a películas como *Romeo* y *Julieta* o *La Celestina*. La mejor manera de entrar en la parte vieja es subir las escaleras del Arco de la Estrella, puerta abierta entre el presente y el pasado. En la Edad Media fueron frecuentes las guerras entre los caballeros de la ciudad y cada casa noble tenía su propia torre defensiva; de las pocas que quedan hoy, hay que destacar la Torre de las Cigüeñas. Enfrente se levanta la Casa de las Veletas, en cuyo interior está el Museo Provincial. A la izquierda del museo se encuentra el Convento de San Pablo, habitado por monjas que venden dulces en la entrada. Cáceres fue también ciudad de conquistadores; muchos de ellos construyeron hermosos palacios, como la Casa de los Solís, la Casa del Mono o la Casa de los Golfines de Abajo, familia de caballeros franceses que vino a Cáceres a ayudar en la guerra contra los musulmanes. Pero hay otras muchas cosas que ver en la ciudad medieval de Cáceres...

UNIDAD 59. ¡Así que estás embarazada!

Ejercicio 1. Escuche y complete.

El cochinillo es la cría del cerdo y sólo se alimenta de la leche que mama. En Segovia, el cochinillo asado es una comida muy típica. Uno de los restaurantes segovianos más famosos por el cochinillo que sirve es el Mesón Cándido. En algunos de estos restaurantes es típico partir el cochinillo con un plato porque la carne está muy tierna. En algunas zonas de España, el cochinillo es la comida del día de Navidad o de aquellos días en los que se celebra algo especial.

Ejercicio 2. Escuche y marque.

— ¿Qué te pasa?
— Que estoy enfadado contigo.
— ¿Por qué?
— Porque todavía no me has dicho si vamos a ir a Segovia o no el domingo. Te lo he preguntado tres veces y aún no me has contestado.
— Es que no sé si ir o no. ¿Tú quieres que vayamos?
— Yo sí, y además me gustaría salir pronto de casa para pasar allí todo el día: quiero ver bien la ciudad, y también me gustaría ir a La Granja a visitar el palacio.
— Bueno, pues venga. El domingo vamos a Segovia. Podemos ir al palacio por la mañana y después podemos comer en un restaurante de la ciudad.
— O también podemos llevarnos unos bocadillos. No hace falta ir a un restaurante.
— ¿Estás seguro? ¿No te gustaría comer cochinillo en el Mesón Cándido, por ejemplo?
— Hombre, sí, claro, pero es muy caro...

— Hace mucho tiempo que no salimos de Madrid, así que... un día es un día. Mira, nos levantamos, vamos al palacio de La Granja y damos una vuelta por los jardines; después nos vamos a comer un buen cochinillo asado y por la tarde vemos la ciudad: el acueducto, la plaza, ... ¿vale? Mañana mismo llamo al Mesón y reservo una mesa para el domingo.
— Estupendo. Seguro que lo pasamos muy bien.
— Claro que sí.

UNIDAD 60. No deberíais hacer eso

Ejercicio 5. Escuche.

El diseñador Alberto Corazón, de 52 años, ha creado un sistema único y original de señalización para Toledo. Dentro de poco, Toledo, ciudad de 70.000 habitantes (de los que 14.000 viven en el casco antiguo) y con dos millones de turistas al año, podrá ser visitada siguiendo las rutas señalizadas. El casco antiguo se dividirá en ocho rutas o itinerarios, señalados con placas rojas, con información histórica y turística, y dibujos representativos. En los próximos meses se pondrán unas 800 placas en esta ciudad declarada patrimonio histórico de la humanidad por la Unesco. El proyecto tiene un presupuesto de 50 millones de pesetas, que se reparten la Junta de Castilla-La Mancha y la Real Fundación de Toledo. Las Naciones Unidas están muy interesadas en este sistema que podría utilizarse para unificar la imagen de otras ciudades que son patrimonio de la humanidad.

UNIDAD 61. Estoy contenta. Mejor dicho, soy feliz

Ejercicio 6. Escuche y marque.

1. Oye, he hablado con Nieves y me ha dicho que el domingo hará una comida en su casa y que estamos todos invitados.

2. No fume, no coma demasiado, haga deporte y sobre todo no beba nada de alcohol, ¿entendido?

3. Para renovar su carné de identidad tiene usted que rellenar este impreso con todos sus datos, traer dos fotos, una fotocopia de su antiguo carné de identidad y 750 pesetas.

4. — ¡He aprobado el examen! ¡No me lo puedo creer!
   — ¿En serio? ¡Enhorabuena! ¡Qué alegría!

5. Nuestro matrimonio no funciona. No podemos seguir así.

6. Tengo que decirte algo... Hoy he sabido que... En fin... Que estoy embarazada.

UNIDAD 62. Seguro que volverán

Ejercicio 1. Escuche.

1. (sirena de bomberos) 2. (bebé llorando) 3. (pasos)
4. (señal de comunicando) 5. (aplausos) 6. (cristales
rotos) 7. (máquina de juegos recreativos) 8. (truenos)
9. (risas y carcajadas) 10. (grifo goteando)

Ejercicio 4. Escuche y marque.

1. Villaviciosa está en el norte de España. 2. En el norte de España hace mucho frío porque llueve bastante.
3. En Villaviciosa todavía quedan casas antiguas. 4. Todos los habitantes de Villaviciosa tienen un escudo en la
puerta de su casa. 5. La iglesia de Santa María es toda
de madera. 6. La sidra es una bebida que se obtiene de
las manzanas. 7. En Villaviciosa hay un monumento a
la sidra porque es la mejor bebida asturiana. 8. La sidra
se echa en el vaso a distancia para que haga espuma.

UNIDAD 64. Y entonces, ¿qué pasó? REPASO 3 B

Ejercicio 5. Escuche.

La Rioja está entre Castilla, Aragón, Navarra y el País
Vasco, en el Valle del Ebro. En La Rioja se pueden practicar muchos y variados deportes: esquí, montañismo,
caza y pesca, piragüismo..., pero también se puede ir
a descansar en los famosos balnearios de la zona. La
capital, por la que pasa el río Ebro, es una ciudad de
más de 120.000 habitantes y tiene importantes monumentos que se pueden visitar.

La Rioja es muy conocida por sus excelentes vinos, que
son de los mejores de los que se producen en España.
El vino de La Rioja puede ser tinto, clarete o blanco. El
tinto, de color rojo oscuro, es un vino fuerte que acompaña muy bien platos de carne; el clarete es de color
rosado y es un vino más suave, con menos grados de
alcohol, y que a veces se toma frío; el blanco es de color
amarillo, casi dorado, es un vino seco y aromático.

UNIDAD 65. Y al final fueron cuatro. RECAPITULACIÓN

Ejercicio 7. Escuche.

Carmen y Juan se conocieron en un tren que iba hacia
Madrid; en ese momento no sabían que iban a trabajar
juntos haciendo un programa de televisión. Más tarde, trabajando, viajaron juntos por casi toda España y
entre ellos nacieron distintos sentimientos: empezaron
siendo compañeros de trabajo, después amigos, novios,
marido y mujer, y al final fueron padres de dos niños,
mejor dicho, de un niño y una niña.

Al principio, Juan vivía en un apartamento pequeño, y
Carmen vivía con su madre y con su hermano, hasta
que se casó con Juan y se fue a vivir con él. Compraron
una casa en El Escorial, donde también vivían Óscar y
Guadalupe.

Carmen y Juan no siempre han viajado solos: con Óscar
y Guadalupe visitaron Segovia, donde comieron un
cochinillo estupendo, y con sus compañeros de trabajo, Ramón, Diego y Rosi, estuvieron en Valencia.
Todos ellos han intervenido en el programa "Conocer
España", que ganó un premio en Santander, y todos
esperan que el próximo año Diego haga otro programa y poder trabajar juntos otra vez.

Vocabulario

En esta lista se recogen sólo las palabras que no han aparecido en el Libro. Las palabras en *cursiva* han aparecido en el Cuaderno en unidades anteriores.

(m.) = masculino
(f.) = femenino
(v. i.) = verbo irregular
(adv.) = adverbio
(sg.) = singular
(pl.) = plural

UNIDAD 40

ahora *(adv.)*
alegría *(f.)*
apartamento *(m.)*
cocer *(v. i.)*
contar *(v. i.)*
croqueta *(f.)*
descanso *(m.)*

discutir
enamorado, -a
hacer falta
llorar
marisco *(m.)*
mentira *(f.)*
pasarse

separarse
sonreír *(v. i.)*
sorpresa *(f.)*

●●●

UNIDAD 41

alrededor *(adv.)*
argentino, -a
arreglarse
brindar
contar (v. i.)
culpa *(f.)*
discutir
espagueti *(m.)*
famoso, -a
favor *(m.)*
geranio *(m.)*

idea *(f.)*
loco, -a
novela *(f.)*
nunca *(adv.)*
ocupado, -a
pasarse
platicar
recién casados
repasar
sorpresa (f.)
tratar [tema]

último, -a
urgente *(m.* y *f.)*

Vocabulario

UNIDAD 42

acompañado, -a
averiado, -a
bondadoso, -a
celoso, -a
cojo, -a
distraído, -a
enemigo, -a

listo, -a
llorar
malvado, -a
maravilloso, -a
morderse *(v. i.)*
nube *(f.)*
optimista *(m. y f.)*

serio, -a
soñar *(v. i.)*
sonreír (v. i.)
sonrisa *(f.)*
uña *(f.)*

UNIDAD 43

acompañar
cámara de fotos *(f.)*
cantar
canto *(m.)*
celebrar
cruz *(f.)*
dirigido, -a
dolor *(m.)*
excursión *(f.)*
expresar

gritar
hermoso, -a
imagen [procesión] *(f.)*
macho *(m.)*
muerte *(f.)*
nazareno, -a
participar
pasión *(f.)*
procesión *(f.)*
resurrección *(f.)*

saeta *(f.)*
santo, -a
serio, -a
sevillano, -a
siguiente *(m. y f.)*
tan *(adv.)*
tímido, -a
tontería *(f.)*
vela *(f.)*

UNIDAD 44

¡ánimo!
asiento *(m.)*
cortarse
demostrar *(v. i.)*
discutir
dormitorio *(m.)*
equipo *(m.)*
famoso, -a

festival *(m.)*
gastar
loco, -a
ordenado, -a
paciente *(m. y f.)*
pena *(f.)*
premio *(m.)*
prueba [examen] *(f.)*

recién casados
recoger
récord *(m.)*
serio, -a
superar
tomarse

UNIDAD 45

animado, -a
baile *(m.)*
bello, -a
capacitado, -a
celebrar
clima *(m.)*
conversación *(f.)*
correcto, -a
corrida de toros *(f.)*

época *(f.)*
extranjero, -a
habitante *(m.)*
interesar
llenar
melodía *(f.)*
mentiroso, -a
numeroso, -a
paisaje *(m.)*

público *(m.)*
responder
resto *(m.)*
reunir
serio, -a
silencio *(m.)*
silencioso, -a
últimamente *(adv.)*

Vocabulario

UNIDAD 46

agenda *(f.)*
agua sin gas *(f.)*
apuntes *(m. pl.)*
bisonte *(m.)*
cámara de fotos (f.)
cepillo *(m.)*
cigarrillo *(m.)*
cueva *(f.)*
doble *(m. y f.)*

esquí *(m.)*
gafas de sol *(f. pl.)*
monumento *(m.)*
peregrinación *(f.)*
pincel *(m.)*
pluma *(f.)*
premio *(m.)*
primitivo, -a
seco, -a

suelto, -a
toalla *(f.)*

UNIDAD 47

abrazar
absolutamente *(adv.)*
aprobar *(v. i.)*
banquete *(m.)*
brindis *(m.)*
cantar
casar
cocer (v. i.)
curar
demostrar (v. i.)
desmayarse
equivocarse

firmar
ganar
grifo *(m.)*
guiñar
hervir *(v. i.)*
invitado, -a
llevarse bien/mal
mensajero, -a
molestarse
noticia *(f.)*
planta *(f.)*
resfriado *(m.)*

sencillo, -a
valor *(m.)*

UNIDAD 48

asegurarse
ayudarse
ayuntamiento *(m.)*
banquete (m.)
colgar *(v. i.)*
consentir *(v. i.)*
consulta [médica] *(f.)*
contacto *(m.)*
contraer *(v. i.)*
cónyuge *(m. y f.)*
descolgar *(v. i.)*
destinatario, -a
destino *(m.)*
duración *(f.)*
forma *(f.)*
horario *(m.)*

huelga *(f.)*
importe *(m.)*
interés *(m.)*
llamada *(f.)*
matrimonio *(m.)*
motivo *(m.)*
mutuamente *(adv.)*
origen *(m.)*
pago *(m.)*
pedido *(m.)*
peluquero, -a
pizza *(f.)*
quemar
recado *(m.)*
reunir
socorrerse

sordo, -a
tamaño *(m.)*
tipo [clase] *(m.)*

Vocabulario

UNIDAD 49

aventura *(f.)*
bombona *(f.)*
camino *(m.)*
comunidad *(f.)*
crucero *(m.)*
equipaje *(m.)*
escala [parada] *(f.)*
excursión (f.)
fresco, -a
hombro *(m.)*
marisco (m.)

merendero *(m.)*
mochila *(f.)*
pasajero, -a
perfecto, -a
placer *(m.)*
recién casados
recién nacido, -a
roca *(f.)*
seguramente *(adv.)*
sesión [cine] *(f.)*
tiburón *(m.)*

turismo *(m.)*
zona *(f.)*

• •

UNIDAD 50

adivinar
arder
celebrar
cesta *(f.)*
cobrar
crucero (m.)
curar
dependiente, -a
deprisa *(adv.)*
dios *(m.)*
divertirse *(v. i.)*
duplicarse
durar
elemento *(m.)*
fantástico, -a
genio [dios] *(m.)*
gigante *(m. y f.)*
hacerse *(v. i.)*

hoguera *(f.)*
honor *(m.)*
llevarse
lobo, -a
luchar
luna de miel *(f.)*
mágico, -a
maravilloso, -a
marearse
muerte (f.)
paciente *(m. y f.)*
pagano, -a
planta (f.)
portugués, portuguesa
propiedad *(f.)*
proteger
realidad *(f.)*
santo, -a

solsticio *(m.)*
taxista *(m. y f.)*
tradición *(f.)*
verse
zona (f.)

• •

UNIDAD 51

acercarse
actividad *(f.)*
bañarse
banda de música *(f.)*
breve *(m. y f.)*
camino (m.)
canción *(f.)*
cantar
celebrar
chiste *(m.)*

desaparecer *(v. i.)*
destino (m.)
diente *(m.)*
fin de semana *(m.)*
lavarse
Navidad *(f.)*
olimpiada *(f.)*
procedente *(m. y f.)*
realizar
recoger

renovar *(v. i.)*
vía *(f.)*

Vocabulario

UNIDAD 52

acercarse
acompañar
acuario *(m.)*
adulto, -a
agotado, -a
ave *(f.)*
caerse *(v. i.)*
cariño [expresión]
cigarrillo (m.)
colocar
compartir
compra *(f. sg.)*
delfín *(m.)*
entrevista *(f.)*
felino, -a
flecha *(f.)*
grifo (m.)
hierba *(f.)*

importar [molestar]
interesado, -a
jaula *(f.)*
lado *(m.)*
levantar
nevera *(f.)*
ordenar
palomita *(f.)*
papelera *(f.)*
pisar
pobre [desgraciado, -a]
    (m. y f.)
recinto *(m.)*
recuerdo *(m.)*
regla *(f.)*
seguro *(adv.)*
tirar
tranquilizarse

utilizar
zoo *(m.)*

UNIDAD 53

abrazar
apuntar
atasco *(m.)*
besar
chalé *(m.)*
conocerse *(v. i.)*
contaminación *(f.)*
discutir
duración (f.)

hacer caso
hamburguesería *(f.)*
ir de compras
lujo *(m.)*
mansión *(f.)*
merienda *(f.)*
natación *(f.)*
pasado mañana *(adv.)*
referirse *(v. i.)*

sorpresa (f.)
urbanización *(f.)*
vivienda *(f.)*

UNIDAD 54

árabe *(m. y f.)*
bota jerezena *(f.)*
brindis (m.)
cansarse
encontrarse [sentirse]
    (v. i.)

feria *(f.)*
fiebre *(f.)*
herramienta *(f.)*
idea (f.)
merecerse *(v. i.)*
ordenar

pasado mañana (adv.)
presente *(m. y f.)*

Vocabulario

UNIDAD 55

acción *(f.)*
acto *(m.)*
adecuadamente *(adv.)*
antecedente *(m.)*
anterior *(m. y f.)*
armonioso, -a
arte *(m.)*
auténtico, -a
ballet *(m.)*
bovino, -a
circunstancia *(f.)*
combinar
compás [ritmo] *(m.)*
común *(m. y f.)*
conocerse (v. i.)
coreografía *(f.)*
crear
crianza *(f.)*
criar
danza *(f.)*
dedicarse
determinar
diferencia *(f.)*
doma *(f.)*
domar
ecuestre *(m. y f.)*
ejecutar
elemento (m.)
equino, -a

espectáculo *(m.)*
extraer *(v. i.)*
fundación *(f.)*
fundar
ganado *(m.)*
guerra civil *(f.)*
histórico, -a
independencia *(f.)*
institución *(f.)*
jinete *(m. y f.)*
justo *(adv.)*
llenar
manso, -a
mantener *(v. i.)*
matiz *(m.)*
monasterio *(m.)*
monje *(m.)*
norteamericano, -a
obedecer *(v. i.)*
olvidarse
orden [religiosa] *(f.)*
parte [lugar] *(f.)*
pastor, -a
pelea *(f.)*
perderse
pertenecer *(v. i.)*
posterior *(m. y f.)*
quererse *(v. i.)*
rasgo *(m.)*

raza *(f.)*
real [rey] *(m. y f.)*
reconquista *(f.)*
regla (f.)
reinado *(m.)*
relación *(f.)*
remontarse
reproducir *(v. i.)*
república *(f.)*
ritmo *(m.)*
selección *(f.)*
siglo *(m.)*
sucesión *(f.)*
sugestivo, -a
sujeto, -a
tradición (f.)
traje *(m.)*
único, -a
usanza *(f.)*
vestuario *(m.)*

• •

UNIDAD 56

a lo mejor *(adv.)*
acueducto *(m.)*
anfiteatro *(m.)*
arco *(m.)*
aria *(f.)*
arqueólogo, -a
atracción *(f.)*
cámara [de cine] *(f.)*
cantante *(m. y f.)*
cantar
cercano, -a
circo *(m.)*
colección *(f.)*
contener *(v. i.)*
desanimarse
despertar *(v. i.)*
destacar

empezar a *(v. i.)*
fundar
gaditano, -a
gerundense *(m. y f.)*
guión *(m.)*
importar [molestar]
impresionante *(m. y f.)*
lucense *(m. y f.)*
mencionar
mili *(f.)*
monumento (m.)
morderse (v. i.)
ofrecer *(v. i.)*
onubense *(m. y f.)*
ópera *(f.)*
orgullo *(m.)*
pena (f.)

principal *(m. y f.)*
puesto [de trabajo]
    (m.)
ruina *(f.)*
salmantino, -a
sonar *(v. i.)*
tarraconense *(m. y f.)*
terminar de
turista *(m. y f.)*
uña (f.)

Vocabulario

UNIDAD 57

anterior *(m. y f.)*
anularse
asistenta [hogar] *(f.)*
ayuntamiento (m.)
bebida *(f.)*
biblioteca *(f.)*
céntrico, -a
certificar
cheque *(m.)*
corriente *(m. y f.)*
destinatario, -a
destino (m.)
dirigir
electricidad *(f.)*

empadronarse
expedidor, -a
formal *(m. y f.)*
informal *(m. y f.)*
maravilla *(f.)*
microondas *(m.)*
monumento (m.)
pardo, -a
portador *(m. y f.)*
referencia *(f.)*
retablo *(m.)*
sala *(f.)*
salón comedor *(m.)*
señas [dirección] *(f. pl.)*

siglo (m.)
telex *(m.)*
terraza *(f.)*
tipo [clase] (m.)
tirar
único, -a

UNIDAD 58

base *(f.)*
caballero *(m.)*
central nuclear *(f.)*
chino, -a
comentar
conquistador, -a
contrarrestar
convento *(m.)*
cultura *(f.)*
decorado *(m.)*
defensivo, -a
destacar
Edad Media *(f.)*
educación *(f.)*
estreno *(m.)*
explotado, -a
fijo, -a
forma (f.)
frecuente *(m. y f.)*
gobierno *(m.)*
gratuito, -a

grieta *(f.)*
habitado, -a
hermoso, -a
ideal *(m. y f.)*
interior *(m. y f.)*
laboral *(m. y f.)*
literario, -a
matar
mayoría *(f.)*
medieval *(m. y f.)*
monja *(f.)*
monumento (m.)
muralla *(f.)*
musulmán, musulmana
nacional *(m. y f.)*
noble *(m. y f.)*
oficial *(m. y f.)*
palacio *(m.)*
pena de muerte *(f.)*
portorriqueño, -a
prensa del corazón *(f.)*

privado, -a
productor, -a
provincial *(m. y f.)*
publicidad *(f.)*
puesto de trabajo (m.)
relación (f.)
separar
sociedad *(f.)*
telebasura *(f.)*
temporal *(m. y f.)*
torre *(f.)*
tubo *(m.)*
uso *(m.)*
vivienda (f.)

UNIDAD 59

a solas *(adv.)*
acueducto (m.)
antojo *(m.)*
celebrar
construir *(v. i.)*
cría *(f.)*

extraño, -a
mamar
mesón *(m.)*
monumento (m.)
noticia (f.)
segoviano, -a

siglo (m.)
tapiz *(m.)*

Vocabulario

UNIDAD 60

abandonar
alargado, -a
ángel *(m.)*
apuesta *(f.)*
asegurar
aventura (f.)
avisar
azafato, -a
batirse
burlador *(m.)*
carnívoro, -a
casco antiguo *(m.)*
celoso, -a
científico, -a
complejo, -a
conductor, -a
conquistar
contaminante *(m. y f.)*
convencer *(v. i.)*
convertirse *(v. i.)*
creación *(f.)*
crear
declarado, -a
demostrar (v. i.)
diseñador, -a
dividirse
dolor (m.)
donjuán *(m.)*
duelo *(m.)*
ecologista *(m. y f.)*
enamorarse
época (f.)
estrenar
éxito *(m.)*

fábrica *(f.)*
fantasma *(m.)*
fascinante *(m. y f.)*
figura *(f.)*
fingir
hábil *(m. y f.)*
habitante (m.)
histórico, -a
humanidad *(f.)*
imagen *(f.)*
imaginarse
intención *(f.)*
interesado, -a
itinerario *(m.)*
maravilla (f.)
matar
mayoría (f.)
mediano, -a
monja (f.)
monte *(m.)*
muerto, -a
novicia *(f.)*
numeroso, -a
obra [arte] *(f.)*
obra de teatro *(f.)*
ópera (f.)
padrino, madrina
patrimonio *(m.)*
permitir
personalidad *(f.)*
placa *(f.)*
pleno, -a
poesía *(f.)*
poeta, poetisa

popular *(m. y f.)*
prepararse
presupuesto *(m.)*
protagonista *(m. y f.)*
proyecto *(m.)*
redondo, -a
relación (f.)
repartirse
representar
representativo, -a
retarse
reunirse
rival *(m. y f.)*
romántico, -a
ruta *(f.)*
seductor, -a
señalar
señalización *(f.)*
señalizado, -a
sinceramente *(adv.)*
sistema *(m.)*
tradicional *(m. y f.)*
turista (m. y f.)
único, -a
unificar
universal *(m. y f.)*
utilizarse
verdadero, -a

UNIDAD 61

alcohol *(m.)*
alegría (f.)
animar
batalla *(f.)*
bebé *(m.)*
belleza *(f.)*
bobo, -a
cesta (f.)
cuna *(f.)*
dato *(m.)*
desmayarse
determinado, -a

en fin *(adv.)*
estarse *(v. i.)*
¡felicitaciones! *(f. pl.)*
fotocopia *(f.)*
gemelo, -a
histérico, -a
ir de compras
lucha *(f.)*
matrimonio (m.)
memo, -a
menso, -a
moverse *(v. i.)*

obra de teatro (f.)
portátil *(m. y f.)*
preciosidad *(f.)*
quieto, -a
renovar (v. i.)
sala de espera *(f.)*
sentirse *(v. i.)*